世界の潮流 2024-25

大前研一
OHMAE Kenichi

The
Global Trends
2024-25

プレジデント社

まえがき

2023年は、2つの大きな戦争が世界に多大なる影響を及ぼした。

1つは、2022年2月24日から続くロシアのウクライナ侵攻、そしてもう1つは、2023年10月7日にパレスチナのガザ地区を支配するイスラム組織ハマスによって行われたイスラエルへの大規模攻撃と、それに対するイスラエルの報復によって始まった戦争だ。

これら2つの戦争は、現時点（2024年3月末）で未だに終局が見えない点で共通している。そして両方とも、なぜこんな不毛な戦いを続けているのか、当事者にもわからなくなりつつある。つまり、意味不明の理不尽な戦いに陥ってしまっているのだ。

周知のとおり、ウクライナとイスラエルはともにアメリカが背後で多額の支援を行っている。事実、アメリカのイスラエルへの年間支援額は約38億ドルと試算されており、また2023年12月18日に発表された昨年最後のウクライナへの軍事支援は最大2億5000万ドルにのぼるとされた。

にもかかわらず、これらの戦争が終わる気配はまったく感じられない。欧米諸国も、複雑な対立構造が絡み合った2つの戦争への対応をめぐり、内部で対立・迷走しているのが実情である。

現在の世界情勢を俯瞰《ふかん》してみると、「世界規模の右傾化」という状況が見えてくる。右傾化とは要するに「自国至上主義」のことである。

1989年12月の米ソ冷戦終結以降、世界は「グローバル主義」が中心となった。自国至上主義ではなく、世界全体の利益を考えて物事を判断するということだ。

より良い商品を世界から安く仕入れて物価を適切にコントロールすれば、自国にも他国にもメリットがある。それがグローバル主義の発想だが、2020年代に入って、そうした国際関係を忘れて、「アメリカ人の雇用を奪う中国はけしからん。関税を100%かけてやろう」などと考えるドナルド・トランプ前アメリカ大統領のような人物が現れることがまさに右傾化の象徴的出来事だ。

とりわけ2023年は、独裁化した「マッドマン（狂人）」たちによって、各国で右傾化がさらに進行し、世界情勢は混乱を極めた。

一例を挙げると、2023年11月、ベネズエラのニコラス・マドゥロ大統領は隣国ガイアナの領土の約7割は自国のものだと宣言した。該当地区は16万平方キロメートルに及ぶ「エセキボ地域」だ。1899年の国際仲裁裁定において同地はガイアナの領土と認められたが、マドゥロ氏は裁定に不正があったとして、無効を主張しているのだ。その後に行われた国民投票で95%以上の賛成を得たマドゥロ氏だが、長い間独立していた国をいきなり「自分のものだ」と言ってしまうところに、右傾化の顕著な傾向が垣間見える。

右傾化の一方で、高い経済成長を背景に、いわゆる「グローバルサウス」と呼ばれる国々が台頭し、先進国中心の国際秩序から、一定の距離を取り始めている。世界は、欧米先進国の価値観とは異なる国家・地域の増加によって、紛争や戦争が生じやすくなっているため、新たな国際秩序が求められていると言えるだろう。

また、世界経済は、3年にわたったコロナ禍やロシアのウクライナ侵攻がもたらしたインフレからの回復を目指しているものの、成長率が下振れしてリセッション（景気後退）入りする可能性がある。成長の阻害要因としては、政府の過剰債務、根強いインフレ圧力、食料・エネルギー価格の高騰、中国経済の減速、気候変動などが挙げられる。

主要国で利上げが終了し、来年から利下げに転じるとの見方が強まるなか、日本はようやく金融緩和政策の転換点を迎えつつある。

では、今後の日本はどうなるのか。

2024年2月、日本はGDP（国内総生産）でドイツに抜かれて第4位へ転落したことが明らかになった。一人当たりGDPではすでに2022年段階でイタリアに抜かれて、G7（先進7カ国）中で最下位に転落し、韓国と台湾にキャッチアップされた。2024年10月に4年目を迎える岸田文雄内閣の業績で評価できるのは「安保3文書の改定」くらいで、あとの政策はすべて迷走状態に陥るなかで、現在は自民党派閥の政治資金問題が表面化し、内閣支持率は発足以来最低に落ち込んでいる。

民主主義の行き着く先は「衆愚政治」と言われる。事実、日本の政治がこれからどうなっていくのか、もう誰にもわからない。史上最長・最強だった安倍晋三政権が、いつの間にか諸悪の根源のように見なされている。旧統一教会の日本本部長から今ではパーティー券の還流まで、安倍政権を支えていたものが軒並みパージされている状況だ。

もちろん安倍派の解体だけではなく、自民党そのものが崩壊する可能性もある。岸田首相は「不正は安倍派のことだから」と言っているが、このような局面では内閣不信任案を出されて総辞職するのが戦後政治の常道だった。しかし、現在、内閣不信任案を提出して可決させるだけの力を持っている野党はない。立憲民主党はすっかり忘れられているし、一時勢いを見せた日本維新の会も現在は「万博推進本部」のようになっていて、まさに威信が落ちている状況だ。国民民主党や日本共産党も支持率が数%台ではどうしょうもない。

つまり、対抗政党が存在しないことが、自民党がここまで腐敗した理由の一つである。根本的な問題は何も解決しないまま、選挙対策としてバラマキだけをやる。しかもそれが、政府の財務体質において世界最弱の日本で行われているのだ。

私は自民党の解党的出直しが必要だと考えているが、そういう意味では野党も同時に立て直しが必要だと思う。そのうえで、「教育」「地方自治」「対米関係見直し」に加えて「真の仲間づくり外交」といった大きな課題に取り組むべきだ。第5章の最後に詳しく書いたが、解決できる具体的なテーマとしては「ロシアとのつき合い方を改めて考える」「真の観光立国を目指す」ことなどが挙げられる。

世界がますます右傾化するなか、今年2024年は稀にみる「選挙イヤー」であり、各国で行われる選挙結果に注目が集まっている。特に11月に行われるアメリカ大統領選挙の影響は日本だけでなく、世界全体にとって大きな意味を持つ。

その他にも、「ChatGPT」の登場によって、2023年は生成AI元年となった。アルビン・トフラーが提唱した「第三の波（IT社会）」に続いて到来した「第四の波（サイバー社会）」が、凋落する日本にさらに追い打ちをかけているのが実情だ。

そして忘れてはならないのが、２０２４年の開幕早々に発生した「令和６年能登半島地震」である。まったく先が見えない２０２４年を象徴する、まさに波乱の幕開けとなった。

独裁化したマッドマンたちは、時にフェイク（偽）情報を発信して、自分たちを正当化したり、都合の悪い事実を隠蔽《いんぺい》したりしようとしている。これからの時代に必要なのは、そのようなフェイク情報に惑わされないように、正しいものの見方や考え方を身につけることである。本書では彼らの〝ウソ〟に惑わされないよう、正しい世界情勢の見方を提示した。

本書が、読者のみなさんにとって、この混迷を深める時代を読み解くヒントになるとしたら、著者として望外の幸せだ。

２０２４年４月

大前研一

世界の潮流２０２４−２５　目次

第3章

凋落する日本

第4章 中国の最新動向 孤立化する習近平のジレンマ ……141

図版制作　室井浩明（STUDIO EYES）

第1章

混迷を極める世界情勢

独裁化したマッドマンと止まらない右傾化

世界に広がる独裁化した「マッドマン」

現在の世界は、独裁化した「マッドマン（狂人）」たちによって混乱を極めつつあると言っていいだろう。

国民国家が互いに領土を奪い合った19世紀と、20世紀前半に二度にわたって行われた世界大戦を経て、20世紀後半は「共産主義陣営VS自由主義・民主主義陣営」によるイデオロギーを対立軸にした冷戦が続いた。１９８９年にそれが決着し、ようやく平和な時代が訪れたと思いきや、それから35年経った現在の世界は、むしろ混乱の極みを呈している。なぜなら世界のあちこちにマッドマンが出現しているからだ（図１）。

まずは私が〝3大暴君〟と呼んでいるロシアのウラジーミル・プーチン大統領、中国の習近平《しゅうきんぺい》国家主席、北朝鮮の金正恩《キムジョンウン》総書記から述べてみよう。

ロシアのプーチン大統領は、２０００年に大統領に初めて就任した際は年金改革などを行って、旧ソ連崩壊後の経済的混乱に苦しむロシア国民の支持を集めたが、長期政権化した現在は独裁色が非常に強まっている。２０２２年2月のウクライナへの軍事侵攻は「暴君が暴走したら何が起きるか」という疑問に対する格好の答えとなった。そして２０２４

図1　現在の世界情勢は、独裁化した“マッドマン”によって混乱を極めている

ベラルーシ/ルカシェンコ大統領
ロシアの戦術核兵器を国内に配備、ロシアによる拉致も支援
ロシア/プーチン大統領
「暴君が暴走したら何が起きるか」という実例を示した
トルコ/エルドアン大統領
ガザでの停戦を求めイスラエルをテロ国家と発言
メキシコ/オブラドール大統領
人気取りのバラマキ政策により財政赤字は過去30年で最悪に
北朝鮮/金正恩総書記
ミサイル発射実験を繰り返す
ウクライナ/ゼレンスキー大統領
停戦条件は全土からの撤退とするなど現実が見えていない
ベネズエラ/マドゥロ大統領
隣国ガイアナの国土の約7割を占める地域を自国領と主張
中国/習近平国家主席
異例の3期目に突入。台湾問題で武力行使を放棄しないと発言
アルゼンチン/ハビエル・ミレイ大統領
中央銀行の廃止、経済のドル化、国営企業の民営化を公約に
ミャンマー/ミンアウンフライン国軍最高司令官
汚職の蔓延、人権侵害
イスラエル/ネタニヤフ首相（左）
ハマス/ハニヤ指導者（右）

●現在の世界情勢は、“マッドマン”によって混乱を極めている
●ウクライナに侵攻したロシアのプーチン大統領は「暴君が暴走したら何が起きるか」という実例を示している
●現在の日本は、中国、北朝鮮、ロシアの“3大暴君”に直面しており、安保リスクがかつてないほど高まっている

（出所）各種報道・資料よりBBT大学総合研究所が作成

年3月に行われたロシア大統領選挙で87%という過去最高の得票率を獲得して圧勝した。これにより、2030年まで通算5期目となる政権を維持することが決定した。これは旧ソ連時代の独裁者ヨシフ・スターリンを上回る長期政権だ。

中国の習近平主席は、2022年10月に共産党総書記として異例の3期目に入ると、自分の命令に従わない人々の粛清を始め、2023年7月に秦剛《しんごう》外務大臣を、同10月に李尚《りしょう》福《ふく》国防相を相次いで解任した。そして台湾統一の手段として武力行使を放棄しないことを改めて宣言している。

北朝鮮の金正恩総書記は、祖父である金日成《キムイルソン》、父である金正日《キムジョンイル》から三代続く世襲のマッドマンであるが、最近はまだ10歳ぐらいの娘を視察に同行させて、「わが国はこれからも世襲である」ということを世界にアピールしている。彼は憂さ晴らしにミサイルを飛ばすことから、アメリカのドナルド・トランプ大統領（当時）から「ロケットマン」と呼ばれたが、近年もミサイル発射実験を繰り返している。

プーチン氏、習近平氏、金正恩氏の〝3大暴君〟が独裁者として君臨している三国は、いずれも日本と国境を接しているため、日本の安保リスクがかつてないほど高まっている。

一方、日本から離れた地域でも、マッドマンが次々と現れている。

その一人、メキシコのアンドレス・マヌエル・ロペス・オブラドール大統領は、典型的なポピュリスト政治家だ。メキシコの2024年度の歳出額は9兆660億ペソと前年比で4％増加した。歳入から歳出を差し引いた財政赤字は1兆7000億ペソと4割増え、過去30年で最悪の水準になっている。この財政赤字は人気取りのバラマキ政策がもたらしたものである。つまり、政府には紙幣を印刷する力があるため、輪転機を回してお金をばらまくことで、最悪の財政赤字を生んでいるのである。

また、南米ベネズエラのニコラス・マドゥロ大統領は、近年大型油田の発掘が相次いでいる隣国ガイアナの領土の約7割を占めるエセキボ地域を「ベネズエラのものだ」と主張し始めた。国民投票の結果、ベネズエラ国民の95％が「イエス」と答えたことを受けて、アメリカがガイアナと軍事同盟を結んで軍事演習を行う事態に発展している。これに対して、マドゥロ氏は2024年4月、エセキボ地域をベネズエラに編入する法案に署名した。中国やロシアから支持されているマドゥロ氏は、やはりマッドマンで在任中に死んだウゴ・チャベス前大統領の後継者だ。

次に、2023年12月のアルゼンチン大統領選で選出されたハビエル・ミレイ大統領も、「アルゼンチンのトランプ」と呼ばれているマッドマンだ。彼は「アルゼンチンが143％ものハイパーインフレに陥っている原因は中央銀行にある。だから中央銀行をダイナマイトで吹っ飛ばす（廃止する）」という公約を掲げていた。また、「国の通貨をペソから米ドルに変える」とも言っている。

このミレイ氏は元々大学で経済学を教えていた人物であるが、自国を米ドル圏にするためには、アメリカの中央銀行であるFRB（連邦準備制度理事会）と毎年相談をしなければならない。たとえば、EUの場合、統一通貨であるユーロに新規加入するにはインフレを2〜3％に抑えて3年間経過しなければならないのと同じように、アルゼンチンも自国通貨を米ドルに変えたいのなら国内のインフレを抑えなければならないのだが、そんなことができるのなら、そもそも自国の通貨を米ドルに変える必要もないだろう。アルゼンチンは20世紀初頭には世界第5位の経済大国だったが、現在はこのような状況だ。

中東に目を移せば、イスラム組織「ハマス」に対して過剰とも言える報復攻撃を行っているイスラエルのベンヤミン・ネタニヤフ首相は、マッドマンというよりも〝殺戮者《さつりくしゃ》〟になりつつある。イスラエルにとって最大の支援国であるアメリカのジョー・バイデン大統領すら、「イスラエルは世界の支持を失っている」と警告しているほどだ。もちろん、イスラエルに対して最初に攻撃を仕掛けたハマスの最高指導者イスマーイール・ハニヤ氏もマッドマンである。

そして、ロシアに攻め込まれているウクライナのウォロディミル・ゼレンスキー大統領も、残念ながら今やマッドマンの仲間に入りつつあると言わざるを得ない。すでに「ゼレンスキーが大統領である限り、戦争終結はない」と言われるほど、彼は現実が見えなくなっている。ロシアからの停戦提案に応じる条件として、奪われた領土の完全回復やロシアが二度と侵攻しないという保証などいくつかの項目を掲げているが、ロシアのプーチン大統領が応ずる可能性はないだろう。ゼレンスキー氏は２０２３年12月にアメリカの連邦議会で追加支援を求める演説を行ったが、議会で多数を占める共和党議員から支持を得られず、現時点で追加支援はいまだなされていない。ゼレンスキー氏は元々コメディアンで、ＴＶドラマで人気が出た勢いで大統領に就任したわけだが、適切な落としどころを見つけるという政治家としての資質に欠けていると言わざるを得ない。

現代世界の指導者で最古参のマッドマンは、ベラルーシのアレクサンドル・ルカシェンコ大統領だろう。彼は盟友ロシアの戦術核兵器を自国内に配備している。

トルコのレジェップ・タイイップ・エルドアン大統領は、２０１４年の大統領就任時こそ非常に良い仕事をしていたが、首相在任期間を含めて20年の長期政権ともなると、さすがにおかしくなってきている状況だ。彼は２０２３年11月にガザ地区での停戦を求め、議会でイスラエルを「テロ国家」と発言した。それは正しいのだが、自国内でクルド人に対して行っている抑圧を見ると、言行一致しているとは言い難い。２０２４年３月に行われた統一地方選挙では、エルドアン氏率いる与党が敗れた。

アジアのマッドマンの中には、ミャンマー軍事政権を率いるミンアウンフライン国軍最高司令官がいるが、近年は局地戦で少数民族に敗れるなど情勢は悪化しており、足元では汚職の蔓延や人権侵害によって世界の支持を失っている。

以上のように、現在の世界情勢の特徴を一言で表すと、独裁化したマッドマンたちが華々しく世界の話題をさらって、混乱を極めているということになるだろう。

右傾化が止まらない世界の現状

もう一つ2023年に顕著になってきたのは「世界の右傾化」だ（図2）。

自由主義グローバリズム陣営では、北欧諸国（ノルウェー、スウェーデン、フィンランド、デンマーク、アイスランド）をはじめとして、「民主主義」を守っている国がまだある。他にベネルクス三国（ベルギー、オランダ、ルクセンブルク）があるが、いずれも国土が狭い。アジアではシンガポールぐらいしか民主的と言える国はない。

これらの国々に共通するのは、国土や人口、資源などの面でハンデを負った小国（クオリティ国家群）であるということだ。政治的には大国のはざまで何とか生き抜いてきた歴

図2　**世界の右傾化が止まらないなか、ドナルド・トランプ氏が2024年の大統領で再び政治の表舞台に出てくる可能性が高い**

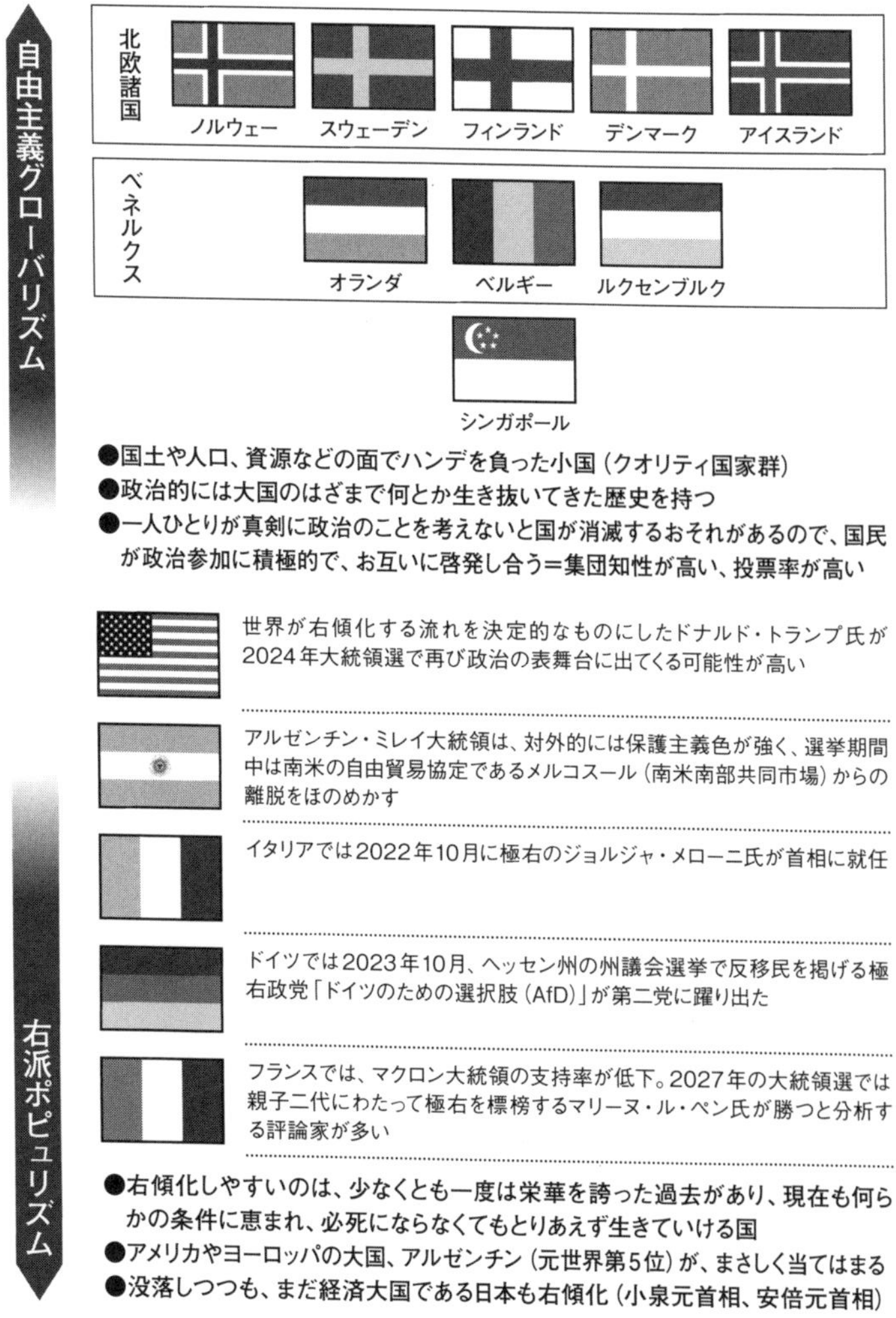
自由主義グローバリズム
北欧諸国
ノルウェー
スウェーデン
フィンランド
デンマーク
アイスランド
ベネルクス
オランダ
ベルギー
ルクセンブルク
シンガポール
●国土や人口、資源などの面でハンデを負った小国（クオリティ国家群）
●政治的には大国のはざまで何とか生き抜いてきた歴史を持つ
●一人ひとりが真剣に政治のことを考えないと国が消滅するおそれがあるので、国民が政治参加に積極的で、お互いに啓発し合う＝集団知性が高い、投票率が高い
世界が右傾化する流れを決定的なものにしたドナルド・トランプ氏が2024年大統領選で再び政治の表舞台に出てくる可能性が高い
アルゼンチン・ミレイ大統領は、対外的には保護主義色が強く、選挙期間中は南米の自由貿易協定であるメルコスール（南米南部共同市場）からの離脱をほのめかす
イタリアでは2022年10月に極右のジョルジャ・メローニ氏が首相に就任
ドイツでは2023年10月、ヘッセン州の州議会選挙で反移民を掲げる極右政党「ドイツのための選択肢（AfD）」が第二党に躍り出た
フランスでは、マクロン大統領の支持率が低下。2027年の大統領選では親子二代にわたって極右を標榜するマリーヌ・ル・ペン氏が勝つと分析する評論家が多い
右派ポピュリズム
●右傾化しやすいのは、少なくとも一度は栄華を誇った過去があり、現在も何らかの条件に恵まれ、必死にならなくてもとりあえず生きていける国
●アメリカやヨーロッパの大国、アルゼンチン（元世界第5位）が、まさしく当てはまる
●没落しつつも、まだ経済大国である日本も右傾化（小泉元首相、安倍元首相）

（出所）大前研一

史を持ち、国民一人ひとりが真剣に政治のことを考えないと国が消滅するおそれがある。そのため、国民が積極的に政治に参加してお互いに啓発し合う（＝集団知性が高い）ため、選挙の投票率も高いのが特徴だ。

それに対して、現在世界で幅を利かせているのが右派ポピュリズムがはびこっている国々だ。過去に一度栄華を誇った歴史があり、現在も資源など何らかの条件に恵まれていて、必死にならなくても生きていける国が右傾化しやすい。

たとえば、アメリカのドナルド・トランプ前大統領は、右傾化というよりもポピュリズムで台頭してきた人物だが、「自分の国さえよければいい」という意味では同じだろう。右傾化の反対は「世界のために」「自分の国だけでなくて世界の国も一緒に」ということだが、現実の世界は民主主義の成れの果ての状況に陥り、衆愚政治によって「自分の国だけ」しか考えていないリーダーだらけになっている。

しかもアメリカでは、2024年11月の大統領選挙でトランプ氏が再び大統領に選ばれる可能性が出てきた（ただし、彼は現在の4つの訴訟を抱えているとされ、すべて有罪になると200年刑務所に入ることになる）。そんなトランプ氏が掲げているスローガンが「MAGA（Make America Great Again［アメリカを再び偉大に］）」だ。アルゼンチンのミレイ大統領もこれを真似して、「MAGA（Make Argentina Great Again［アルゼンチンを再び偉大に」)」というスローガンで選挙活動を行っていた。

EUでは、イタリアで極右政党「イタリアの同胞（FDI）」のジョルジャ・メローニ党首が2022年10月に首相に就任した。若い頃は独裁者ベニート・ムッソリーニを崇拝していたということで就任当初は非常に恐れられていたメローニ氏だが、G7などの国際会議への参加も無難にこなしており、今のところ大きな弊害もなく国も正常化してきている。

一方で、心配なのはEUの盟主であるドイツだ。2023年10月のヘッセン州州議会選挙では、移民や難民の受け入れ禁止を標榜している極右政党「AfD（ドイツのための選択肢）」が第2党に躍り出た。これが連立の相手になるかというと、最大野党であるキリスト教民主同盟（CDU）は拒否すると思われるため、大きな問題を抱え始めることになる。

それから、同じくEUの盟主であるフランスは、エマニュエル・マクロン大統領の人気が暴落している。支持率は2023年に就任後最低の20％台を記録し、次（2027年）の大統領選挙では、前回の大統領選で決選投票を争った極右政党「国民連合」のマリーヌ・ル・ペン氏に敗れるのではないかと言われている。

右傾化が進んでいるのはEUだけではない。没落しつつもまだ経済大国の座にいる日本の右傾化もここ10年の間に確実に進んでいる。8年近くにわたった安倍晋三政権がその代表例だ。安倍政権は日本の戦後政治の中で最も右寄りであり、安倍氏の死後、旧統一教会と自民党の癒着、政治資金など、さまざまな問題が一気に噴出している。これがある意味では、自民党崩壊の第一歩になる可能性もある。

終結の見込みが見えないロシアのウクライナ侵攻

2024年2月、ロシアのウクライナ侵攻がついに3年目に突入した。しかし、ここ最近は一進一退の膠着《こうちゃく》状態が続いているのが現状だ（図3）。

ロシアのウラジーミル・プーチン大統領は侵攻当初、「ウクライナの首都キーウを3日で制圧すると」と豪語していたが、今となっては「なぜこんな戦いを始めたのだろうか？」と自問自答しているだろう。

一方、侵攻を受けているウクライナの状況も決して望ましいものではない。当初、ウクライナには欧米諸国から相当な量の軍事的支援が寄せられて、反転攻勢に転じれば、ロシアは逆に追い込まれると予想されていた。しかし、2023年にウクライナの反転攻勢が始まってからかなりの時間が経つが、ロシア軍が押し込まれている状況にはいまだになっていない。

図3　ロシアによるウクライナへの軍事侵攻は3年目に入っても終結への道筋がいまだに見えない状況が続いている

ウクライナをめぐる主な経緯

1991年	ソ連崩壊に伴いウクライナが独立
2010年	親露派のヤヌコビッチ大統領が就任
2013年	EUとの関係強化を図る連合協定の締結を見送り、反政府デモが拡大
2014年	●2月、ヤヌコビッチ政権が崩壊 ●3月、ロシアがクリミアに侵攻、プーチン大統領が「編入」を宣言 ●7月、親露武装集団が東部ドネツク、ルガンスク両州の占領地域で「独立」を宣言、ウクライナ政府軍と戦闘へ ●9月、東部紛争の和平実現に向けた「ミンスク合意*」を締結
2019年	●2月、ウクライナが憲法改正、EUとNATOへの加盟方針を確定 ●5月、ゼレンスキー大統領が就任
2021年	12月、ロシアがアメリカとNATOに、NATO不拡大の確約など自国の安全保障に関する条約を提示
2022年	●1月、アメリカ・NATOが書面でロシアの要求を拒否 ●2月、プーチン大統領が、ドネツク、ルガンスク両州の新露派実効支配地域の独立を一方的に承認、ロシア軍の派兵を指示。ミンスク合意が崩壊 ●2月24日、ロシアがウクライナに侵攻

*2014年に始まったウクライナ東部紛争をめぐる和平合意。親露派武装勢力とウクライナ軍による戦闘の停止など和平に向けた道筋を示した（ミンスクはベラルーシの首都）

ウクライナの戦況（2023年12月12日現在）

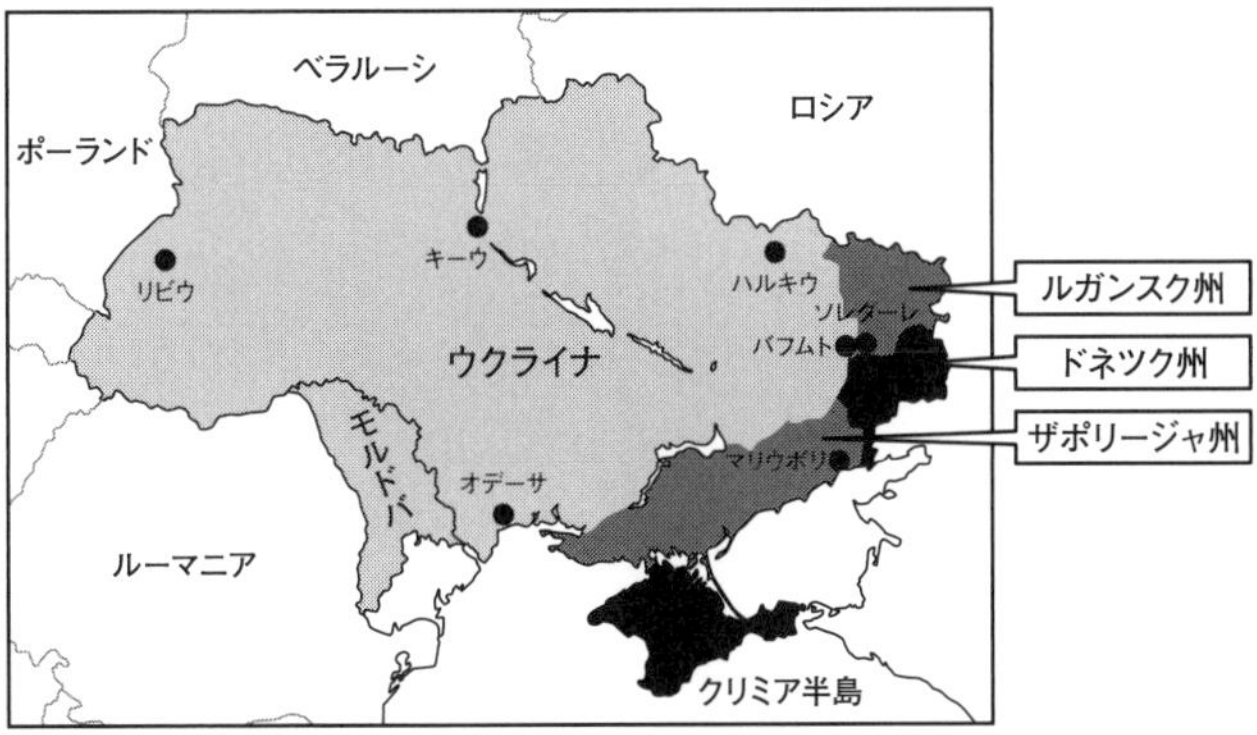

●ウクライナ軍は2023年6月上旬から大規模な反転攻勢を開始。南部のザポリージャ州や東部のドネツク州などで一部の集落を奪還
●しかし、その後はロシア軍が敷設した地雷原や犠牲をいとわない人海戦術、最新型戦闘機スホーイSu-35による制空権の維持により、反撃が停滞
●2023年12月4日、アメリカはウクライナに対する軍事支援の予算について、議会による承認がなければ年末までに枯渇するという見通しを発表

（出所）上／読売新聞オンライン、下／NHK

事実、ウクライナ軍は2023年6月上旬から大規模な反転攻勢を開始し、南部のザポリージャ州や東部のドネツク州などで一部の集落を奪還したが、ロシア軍が敷設した地雷原や犠牲をいとわない人海戦術、最新型戦闘機「スホーイSu‐35」による制空権の維持などによって、ウクライナ軍の反撃は停滞している。EUから提供されたF16戦闘機も、操縦士の訓練に1年ほどかかるとされており、実戦に間に合っていない。

2023年12月27日に、アメリカ政府が最大で2億5000万ドルに上るウクライナへの追加軍事支援を発表したものの、連邦議会では与野党の協議がまとまっておらず、緊急予算はいまだに承認されていない。そのため、2023年内の支援を最後にウクライナの予算は枯渇するとの見通しもある。少なくとも、2024年11月の大統領選挙の結果、共和党のトランプ政権になれば支援は期待できない。このように、ウクライナ最大の支援国であるアメリカの先行きは見通せない状況である。

幕引きを知らないゼレンスキー大統領、和平は不可能か

欧米各国の支援疲れもあり、3年目に突入したウクライナ侵攻は膠着状態に陥っている。

そして、侵攻を受けているウクライナのウォロディミル・ゼレンスキー大統領自身もまた、皮肉なことにマッドマンになりつつある（図4上）。

旧ソ連から独立した後のウクライナの歴代指導者を振り返ってみると、初代大統領のレオニード・クラフチュクや二代目大統領のレオニード・クチマ、さらには四代目大統領のヴィクトル・ヤヌコビッチなど、腐敗にまみれた人物ばかりだった。現在のゼレンスキー氏になって、ようやく汚職とは無関係の人物が大統領になったが、逆に政治のことは何も知らず、国民向けのパフォーマンスが上手いだけである。

ゼレンスキー氏のどこに問題があるのかというと、「ロシアに奪われた領土をすべて奪い返すまでは、停戦交渉のテーブルには着かない」と言い始めていることだ。とても交渉の駆け引きや幕引きの仕方を知っているとは思えない、非常に危険な主張である。

２０１５年の「ミンスク合意」は、「ルガンスク州とドネツク州の独立は認めないが、その一部を自治州として認める」という内容で、ウクライナとロシアがベラルーシの首都ミンスクで合意したものだ。ところが、ゼレンスキー氏は２０１９年の大統領就任後にこれを破棄すべきだと言い出したのである。また、２０１４年にロシアに奪われたクリミア半島も返さなければ停戦には応じないと言っている。これは彼に現実がわかっていないことの証拠であり、和平の達成はほぼ不可能である。逆に言うと、ゼレンスキー氏はそもそも停戦をするつもりがないのだ。

彼のような政治未経験の人物が、今回のウクライナ侵攻によって、「英雄」として世界中から突如としてスポットライトを浴び、どこに行っても拍手喝采で迎えられるようになった。とくにアメリカの連邦議会で、全議員からスタンディングオベーションで激励された結果、彼は英雄を演じているうちに、「自分は本当に偉大な人物なのだ」と、その役になりきってしまったのだ。その結果、ロシア側も疲弊していて停戦の話し合いに応じると言い始めているのにもかかわらず、ゼレンスキー氏はそれを拒否しているのだ。

アメリカもゼレンスキー氏が軟化しないかぎり、際限なくウクライナを援助しなければならない状況だ。しかし、仮にウクライナがクリミアを取り返したとすると、ルガンスクやドネツクにはロシア系住民が非常に多い地域がある、クリミアに至っては住民の実に7割がロシア系だ。そのような人々をどう扱うのかという新たな問題が出てくる（図4下）。

このような事態を想定するのに最適と言える場所が、ウクライナに隣接するモルドバだ。モルドバはルーマニア寄りの人口約260万人の小国だが、同国内のロシア系住民が多い地域は、EU加盟を望んでいる現モルドバ政府とは一線を画している。取り残されたロシア系住民は、国内に「沿ドニエストル共和国」をつくって自治を行っているが、まさに無法地帯で麻薬取引や核物質の取引などが横行していると言われている。仮にウクライナが

図4　ウクライナのゼレンスキー大統領は「停戦はロシアの全土撤退が前提」としているが、このまま和平の達成はほぼ不可能

幕引きを知らないゼレンスキー大統領

ウクライナ侵攻の現状と落としどころ

- ロシアのウクライナ侵攻は、欧米の支援を受けたウクライナが反転攻勢に出たことにより、決着の形がまったく見えなくなった
- 落としどころの1つとなるのは、2015年の「ミンスク合意」まで時計の針を戻すこと
- ルガンスク州とドネツク州を独立国ではなく、自治州とすることを停戦の条件とする方法がよい

ゼレンスキー大統領の主張

- しかし、ウクライナのゼレンスキー大統領は「停戦はロシアの全土撤退が前提」「クリミア半島も奪還する」としている
- これは彼に現実がわかっていないことの証左であり、和平の達成はほぼ不可能＝「停戦のつもりはない」と言っているに等しい

俳優出身のゼレンスキー大統領は当初は新鮮に映ったが、政治的には素人で幕引きの仕方を知らない

クリミアを独立させた場合に想定される事態

仮に、軍事的にクリミアからロシア軍を排除できたとしても、取り残されたロシア系住民の問題を解決しない限り、いずれまた同じような問題が起きて泥沼化する

沿ドニエストル共和国

- モルドバはソ連邦から独立したものの、やはりロシア系住民が多い
- 取り残されたロシア系住民が国内に「沿ドニエストル共和国」を勝手につくって自治を行っているが、無法地帯で麻薬取引なども横行

カリーニングラード州

- ロシアの飛び地であるカリーニングラード州は、マフィアの巣窟として国際的に有名
- ロシアの睨みも利かず、核兵器まで取引されているという話もある

（出所）上／『大前研一 日本の論点2024-2025』（プレジデント社）、日本経済新聞、下／東京新聞、外務省

クリミアを奪還したら、このような状況になる可能性が高いだろう。

また、ポーランドとリトアニアに挟まれたロシアの飛び地であるカリーニングラード州は、ベラルーシから30キロメートル程度のところにある地域だが、実はここも麻薬や核物質の取引が後を絶たないマフィアの巣窟だと言われており、ロシアの睨《にら》みも利いていないのが実情だ。ロシアは、ポーランドとバルト三国を牽制するために、戦術核をカリーニングラードに配備し、いざとなったらここからＮＡＴＯ（北大西洋条約機構）を攻撃すると言っている。

ゼレンスキー氏が軍事的にクリミアからロシア軍を排除できたとしても、現地に取り残されたロシア系住民の問題を解決しない限り、いずれまた同じ問題が起こる。したがって、ゼレンスキー氏がこのまま強硬姿勢を貫いていくことは、極めて大きな過ちである。少なくとも、ウクライナによるクリミアの統治は１００％不可能だ。

プーチン大統領亡き後、ロシアは分裂・内戦へ

政治家とは不思議なもので、時々、過去の偉大な人物の冠をかぶると言われている。ロ

シアのウラジーミル・プーチン大統領の場合は、自分の故郷であるサンクト・ペテルブルクを建設し、ロシアの近代化を図ると同時に現在の広大な国土を獲得したピョートル大帝（ピョートル1世）の帽子をかぶって考える。実際、彼は尊敬する人物にピョートル大帝を挙げている（**図5上**）。

プーチン氏は広大なロシアを一人で治めているように見えるが、元々は旧ソ連のKGB（国家保安委員会）の諜報員にすぎなかった彼に、そのような力はない。ではどうしているかと言うと、軍事力に関しては中央集権ではなく、分割統治で掌握しているのである。ロシアは国内に5つの軍管区（4つの軍管区プラス1つの戦略コマンド）を設置しているが、それに加えて「ワグネル」のような民間の軍事会社を裏で年間約1000億円を与えて傭兵として使っている。そうした私的な民兵組織がロシア国内には30ぐらいある（**図5下**）。

ただし、これらの民兵組織は互いに牽制し合っており、2023年6月のワグネルの反乱で明らかになったように、もはやプーチン氏にもコントロール不能になっている。今後もそういった勢力の一つが政府に反旗を翻す可能性はあり、プーチン氏がいつ暗殺されても不思議ではない。

では、プーチン氏亡き後のロシアがどうなるのかを考えると、さらに混乱が深まるだろう。彼のような強引で独裁者的な人物がいなければ、ロシアは統治できないのだ。日本の

図5　プーチン大統領は中央集権的発想でロシアを統治しているが、同氏が倒れると5つ程度に分裂し、内戦に陥る可能性がある

プーチン大統領がウクライナにこだわる理由

ピョートル大帝の帽子＝「膨張主義・中央集権的発想」

ピョートル大帝

- 初代ロシア皇帝（1672～1725）
- サンクト・ペテルブルク出身
- ロシア近代化のほかに大国化を推進。北方戦争でバルト海に進出、シベリアにも版図を拡大
- 広大な領土を中央集権的に統治
- **プーチン大統領が尊敬する人物として挙げる**

帝政ロシアの中央集権的な統治スタイル

- その後の旧ソ連邦やロシア連邦にも引き継がれる
- ロシアにはカリーニングラードからカムチャツカまで「11」のタイムゾーンがあり、いかにロシアが横に広がっているかがわかる
- ロシア国内の鉄道や飛行機は「現地時間」ではなく「モスクワ時間」で管理されている

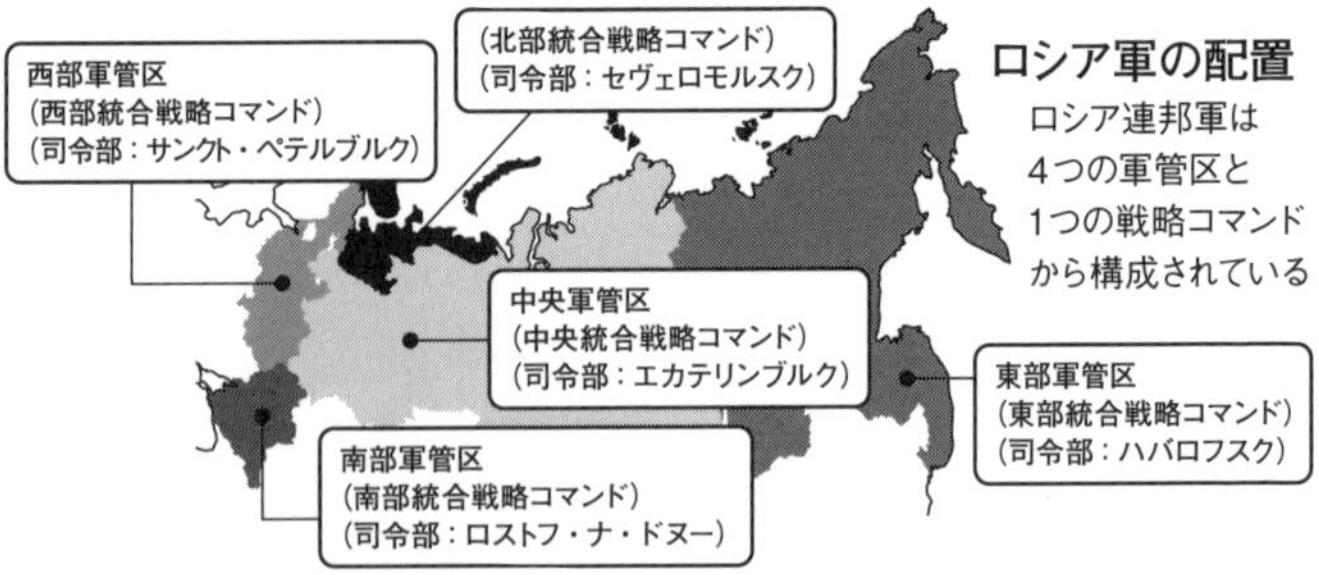

- ロシアは、軍事力に関しては中央集権ではなく、分割統治で掌握。頼れる人物や軍がいないため、防衛費を国軍だけではなく、国内に約30もある民兵組織にも渡して、お互いに牽制し合わせている
- ところが、ワグネルの反乱で明らかになったように、もはや紐が絡まってコントロール不能になっている。今後もそういった勢力の1つが反旗を翻す可能性はあり、突然プーチン大統領が暗殺されることがあっても驚きはない

プーチン後のロシアはどうなるか?

- **分割統治していたことが徒となり、5つ程度に分かれて内戦に近い状態に突入**
- **プーチン氏が倒れるだけではウクライナ侵攻の幕引きにはならない**

（出所）上／『大前研一 日本の論点2024-2025』（プレジデント社）、レバダセンター、下／『防衛白書令和5年版』

戦国時代に、戦国大名たちが隣国と仲のいいふりをしながら、裏でその隣国の敵国と手を結んでいたことと同じだ。ロシアはその意味で、プーチン氏がいても問題だが、彼がいなくなっても問題なのだ。

オランダの軍事戦略研究所は、ロシアの今後について5つほどのシナリオを発表しているが、私はいずれも正しくないと考えている。むしろ、5つ程度の地域に分かれて群雄割拠の状態がしばらく続くのではないか。群雄割拠と言っても、戦国時代の日本と違い、ロシアは国土が非常に広くて時差が11時間もある。にもかかわらず、飛行機もシベリア鉄道も「モスクワ時間」で動いているのだ。このような国が混乱を極め、シベリアのはるか東方にいる軍管区が気勢を上げても、全土を制圧することは難しい。旧ソ連が崩壊したとき、あっという間にカザフスタンやウズベキスタン、ベラルーシなど十数の国が生まれたことも考えると、ロシアの今後は分割統治が徒《あだ》となり、5つ程度に分かれて内戦に近い状態に突入する可能性がある。これがプーチン氏亡き後のロシアのシナリオだ。ちなみに、彼が倒れるだけでは、ウクライナ侵攻の幕引きにならないことも付け加えておきたい。

イスラム組織ハマスによるイスラエルへの大規模攻撃から反転攻勢へ

現在のイスラエルとパレスチナの問題は、100％イスラエル側に問題がある。図6上にイスラエルとパレスチナをめぐる主な出来事をまとめてみた。

1993年にノルウェーの仲介でイスラエルとPLO（パレスチナ解放機構）との間で和平交渉が成立した。この「オスロ合意」はそれまでお互いの存在を認めてこなかったイスラエルとPLOが二国家共存を目指して交わした協定である。PLOはイスラエルを国家として承認し、イスラエルもPLOを自治政府として承認した。さらにイスラエルはヨルダン川西岸やガザなどの占領地から撤退することで合意した。アメリカのビル・クリントン大統領（当時）が介在し、ヤーセル・アラファトPLO議長（当時）とイスラエルのイツハク・ラビン首相（当時）が調印し、国連でも議決されている。つまり、イスラエルにはパレスチナ国家を設立する責任があるのだ。にもかかわらず、合意に反して、現在に至るまで、ユダヤ人の入植を強化してパレスチナ国家を成立させないようにしてきたのはイスラエルのほうである。

元々イギリスの「三枚舌外交」で1948年に建国されたのがイスラエルだ。それまで

図6　2023年10月、イスラム組織ハマスによるイスラエルへの大規模攻撃に対し、イスラエルが反転攻勢、ガザ地区へ侵攻を開始

イスラエルとパレスチナをめぐる主な出来事

19世紀以降	世界各地で迫害を受けていたユダヤ人の間で、ユダヤ人国家建設を目指すシオニズムが広がる
20世紀初頭	第一次世界大戦中、オスマン帝国と敵対したイギリスが、戦争協力の見返りにパレスチナ人とユダヤ人の双方に対して、この地域における国家樹立を約束。さらに、フランスとロシアには中東の分割統治を提案。イギリスによる「三枚舌外交」が、のちの中東の火種となる
1947年	国連総会でパレスチナ分割決議
1948年	イスラエル建国。第1次中東戦争
1956年	第2次中東戦争
1967年	第3次中東戦争
1973年	第4次中東戦争。第1次オイルショック
1987年	インティファーダ（反イスラエル闘争）、イスラム組織ハマス設立
1993年	イスラエルとパレスチナ解放機構（PLO）が「オスロ合意」 ①PLOはイスラエルを国家として認め、イスラエルはPLOをパレスチナを代表する自治政府として認める　②イスラエルは占領した地域から暫時撤退し、5年間にわたりパレスチナの自治を認める
2000年	第2次インティファーダ
2005年	イスラエルがガザ地区から撤退
2007年	ハマスがガザ地区を制圧
2023年	10月7日、ハマスがイスラエルを大規模攻撃、イスラエル軍が報復

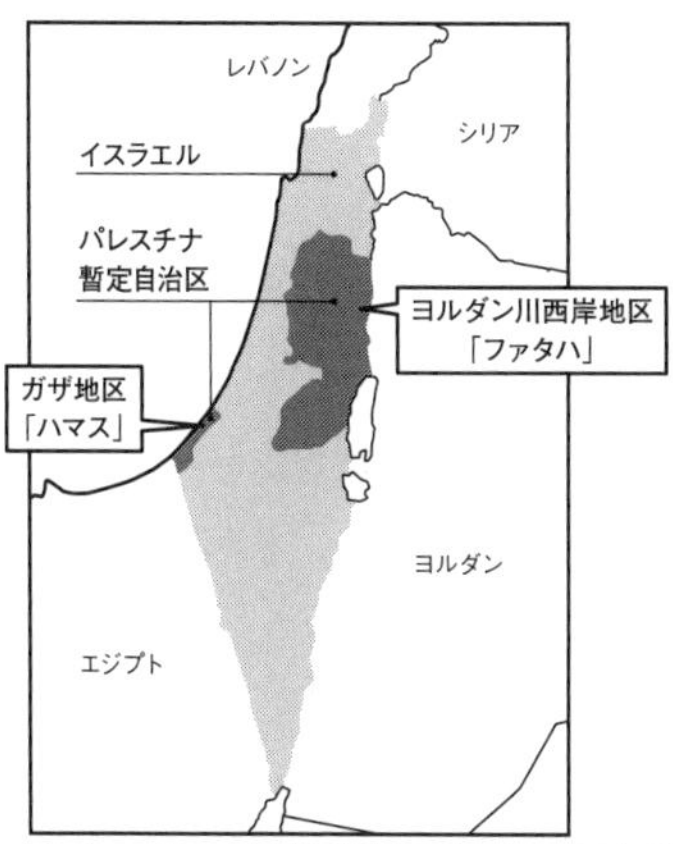

ファタハ：パレスチナ解放機構（PLO）の主流派である武装・政治集団
ハマス：パレスチナ・ガザ地区を実効支配する武装組織

イスラエルとパレスチナ

- 2023年10月27日、人道目的での休戦を求める国連決議案を採択、アメリカとイスラエルは反対、日本は棄権
- イスラエルはハマスと人質解放のため、2023年11月24日から戦闘休止。「人質の解放」を求めると同時に、「ハマスの殲滅」を表明
- 2023年12月1日、イスラエルはハマスが戦闘休止合意に違反したと非難し、ガザ地区に対する攻撃を再開、民間人が多数死傷している

（出所）ダイヤモンドオンライン、東京新聞、NHK、BBC

イスラエルには領土がなかったが、パレスチナ人が住んでいたところを与えられ、その整理が未だにできていない。パレスチナ側も抵抗したが、イスラエルは軍事的に非常に強く、パレスチナのほうが追い込まれていった形だ。

現在のパレスチナは、「ヨルダン川西岸地区」と「ガザ地区」の2つに割れている（図6下）。ヨルダン川西岸地区はPLO主流派の組織「ファタハ」が支配しており、選挙で選ばれたマフムード・アッバス氏が議長を務めている。しかし、彼らは現在イスラエルから攻撃されているガザ地区に対しては、何の影響も及ぼすことができない。ガザ地区のパレスチナ人には政府がなく、実際には軍事組織「ハマス」が支配している。

ガザ地区には約200万人ものパレスチナ人が住んでいるのに対して、ハマスはわずか10万人だ。これらの人々が非正規の軍事組織となっているのである。このようにパレスチナには、暫定自治政府しかないのが現状だ。

ガザ地区を支配するハマスは、かなりの戦闘力を有していることもあり、イスラエルのベンヤミン・ネタニヤフ首相は内々で話し合いを行っていた。ところが、2023年10月にハマスが突然イスラエル攻撃を開始して1000発ものミサイルを浴びせ、イスラエル人240人の誘拐を行ったことで、ネタニヤフ氏は慌てて報復している格好だ。

軍事専門家の発表によると、ネタニヤフ氏はハマスと一時手を握ったことによって時間を与えてしまい、ミサイルが何発来ても迎撃できる防空システム「アイアンドーム」を稼働させていなかったと言われている。いずれにしても、このような状況で「オスロ合意」で謳《うた》われた二国家共存の夢は完全に潰《つい》えてしまった。

イスラエルは「ハマスを殲滅《せんめつ》する」と言っているが、ハマスの最高指導者であるイスマーイール・ハニヤ氏は現在カタールにいて、10万人の構成員も色々なところに隠れたり混ざったりしている。このような状態でハマスを殲滅するのはそう簡単なことではないだろう。

人類史の〝汚点〟であるユダヤ人入植の歴史

ここでイスラエルとパレスチナの問題を振り返ってみよう（図7上）。

1947年時点では、パレスチナ人が現在のイスラエルの地を支配していた。そして、イギリスとフランスが二枚舌外交で、ユダヤ人に「イスラエル国家をつくってあげよう」と言う一方で、パレスチナ人にも「オスマン帝国と戦うのを助けてくれたら、お前たちの国家もつくってやる」と言った。そして、ユダヤ人が入植してきた。ヨーロッパを中心に勢力分布に人為的な介入があったのである。

それでも約束どおりにパレスチナ国家ができ上がればよかったのだが、イスラエルはそれを妨害した。具体的には、1967年の第三次中東戦争に大勝して以来、現在のヨルダン川西岸地区に国策としてユダヤ人の入植を推進した。ヨルダン川西岸地区はユダヤ人の入植地とパレスチナ人の居住地が入り混じらずに分離しているが、イスラエルは2002年以降、自爆テロを防ぐという名目で巨大な分離壁を入植地の外壁につくり、パレスチナ人が自由に往来できないようにした。そして、塀の外に次々とユダヤ人の入植を進めていった。その結果、ユダヤ人が居住する地域が拡大し、パレスチナ人の生存空間はごくわずかになってしまったのである。この分離壁はオスロ合意で定められた停戦ラインを越えており、パレスチナ側にはみ出ている。イスラエルの明らかな国際法違反である。

そして、ヨルダン川西岸地区へ入植したユダヤ人が70万人以上に達した状況で、パレスチナ国家を樹立することはほぼ不可能となった。いくら「平和にやっていきましょう」といっても、平和にはなり得ない。こうした征服者による入植は人類史上の大きな汚点であり、まさに負の歴史の発端はすべて入植である。入植はジュネーブ条約違反でもある。

実は似たような事例は世界各国に見られる（図7下）。たとえば、イギリスはかつて北アイルランドを征服した後、イギリス国教徒を大勢入植させ、カトリック教徒のアイルランド人を押さえ込んでいった。結果的に国教徒のほうが多くなり、カトリックのゲリラによ

図7　**1967年以降、ユダヤ人の入植が国策として推し進められてきたが、これは人類史の大きな汚点であり、国際法違反でもある**

イスラエルによるパレスチナ入植問題

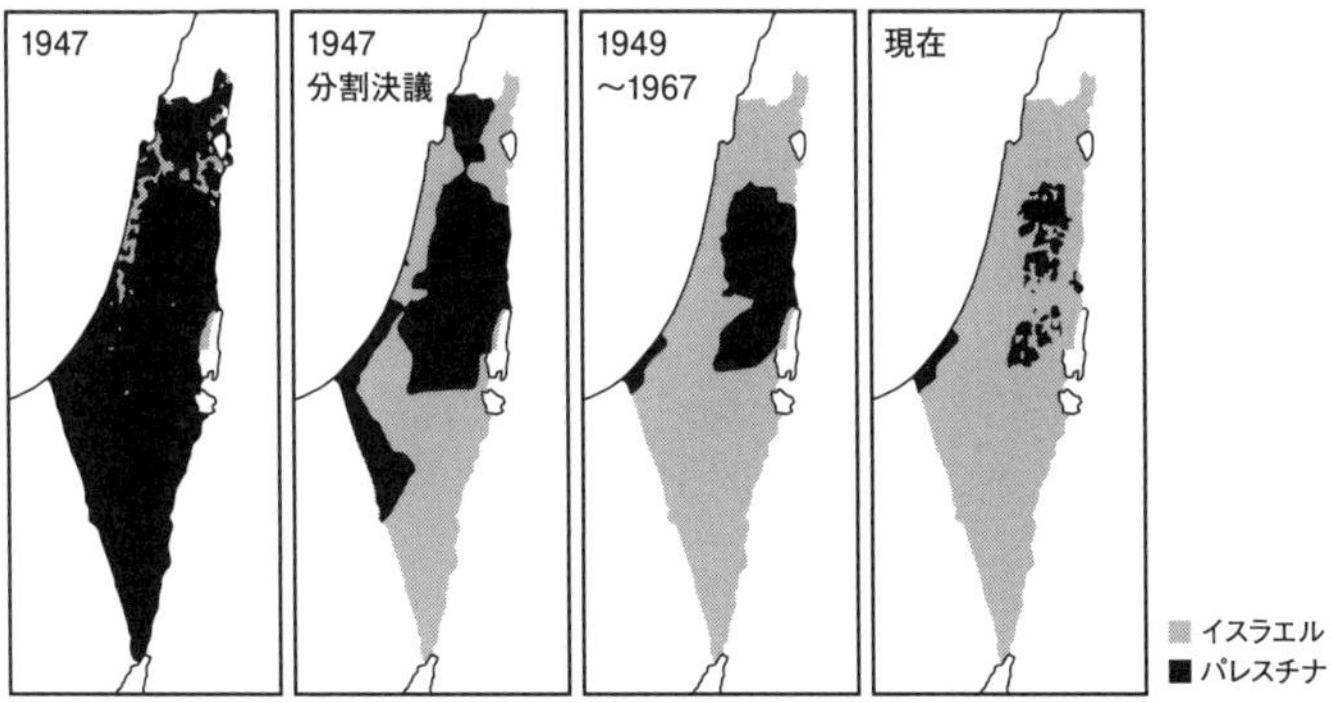

- イスラエルは、1967年の第3次中東戦争に大勝して以降、ヨルダン川西岸地区を中心に国策としてユダヤ人の入植を推し進め、今や入植者は70万人以上に達しているとされる
- この"征服者による入植"は人類史の大きな汚点であり、負の歴史はすべて入植が発端。入植は国際法（ジュネーブ条約）違反

世界の主な入植の事例

国　名	内　容
イギリス	イングランドが民族も言語も異なるウェールズやスコットランドを武力で制服し、さらに北アイルランドも配下に収めてイングランド人（アングロ・サクソン人）を入植させた
スペイン	中南米でインカ帝国やマヤ文明、アステカ文明などを滅ぼし、自国民を入植させた
アメリカ	イギリスやフランスなどから入植した白人が先住民族のネイティブ・アメリカンを虐殺して土地を奪い、居留地に押し込めた
オーストラリア ニュージーランド	先住民族のアボリジニとマオリ族を、入植したイギリス人が征服し、彼らの土地を占拠した
ロシア	ウクライナ、バルト三国、ベラルーシ、モルドバ、中央アジア諸国、コーカサス諸国を制圧し、ソビエト連邦を構成する共和国にしてロシア人を移住させた
中　国	チベット、内モンゴル、新疆ウイグル、広西チワン族、寧夏回族を征服し、自治区にして漢民族を大量に移住させた
日　本	大和民族が先住民族の蝦夷（東北）、熊襲・隼人（九州）などを同化、琉球民族やアイヌ民族も支配下においた。中国の満州には日本人を満蒙開拓団として入植させた

（出所）『大前研一 日本の論点2024-2025』（プレジデント社）

る北アイルランドの悲劇が約200年続いた。

1998年にトニー・ブレア首相（当時）による和平協議が進み、ここ20年あまりは大規模な戦闘もなく、情勢は落ち着いている。ただ、この間に何が起こったかというと、イギリス人はあまり子供を産まないが、アイルランド人はカトリックなので大勢産むことが奨励されており、現在はカトリック系の数が北アイルランドで優勢となっている。

そして今、起ころうとしているのは「ブレグジット（EU離脱）後のイギリスは魅力がない」ということで、国境の管理が難しくなっていることもあり、北アイルランド独立運動が再び活発化してきたことだ。この場合、カトリック系、つまりアイルランド系の人たちが勝つ可能性が高い。そうすると、北アイルランドはイギリスから独立し、アイルランド共和国と一緒になる。次の夢はEUのメンバーになることだろう。それを望んでいるイギリス人も増えている。まさに入植政策の成れの果てだ。

スペインも中南米で入植の限りを尽くした。インカ帝国、マヤ帝国、アステカ文明を滅ぼし、自国民を入植させたのだ。

アメリカも、イギリスやフランスなどから入植した白人が先住民族のネイティブ・アメリカンを虐殺して、土地を奪い、居留地に押し込めた。ハワイにいたっては、牧師がキリスト教徒の顔をして接近し、カメハメハ大王を騙して1898年に50番目の州にしてしまった。

オーストラリアとニュージーランドは、入植したイギリス人が先住民族のアボリジニとマオリ族を征服し、彼らの土地を占拠した。今になって謝罪しているが、彼らは絶滅の危機に瀕している。

ロシアは世界最大の入植を行ってきた国である。シベリア、ベラルーシ、バルト三国（エストニア、ラトビア、リトアニア）、ウクライナのクリミア半島、中央アジア諸国を制圧し、そこへロシア人を入植させてきた。たとえば、カザフスタンの北部は3割がロシア系住民だ。この人たちは旧ソ連崩壊後に迫害されたが、現在のカザフスタンでもやはり迫害を受けている。バルト三国でもロシア系の人々は就業機会がないなど、迫害を受けている。プーチン大統領からすると「ロシア系住民の人々を助ける」という大義名分があるわけだが、これが行き過ぎて、カザフスタンはＣＩＳ（バルト三国を除く旧ソ連圏の国々から構成された独立国家共同体）からの脱退を示唆している。「ロシア系住民を守る」という理由でプーチン氏がウクライナに戦争を仕掛けたのなら、次はカザフスタンが侵攻される可能性があると思っているのだろう。

中国も国家としての入植のオンパレードである。チベット自治区へ漢民族を大量に送り込み、チベット族はほとんど抵抗しないようになった。内モンゴル自治区は漢民族とモンゴル族の割合が8対2になり、他の省とほとんど変わらない状態である。さらに新疆《しんきょう》ウイグル自治区はあと20年黙ってくれたら全部平定してみせると言っている。学校教育を中国語にすれば、20年後は漢字しかわからない人々が増えるというわけだ。広西チワン族も自治区にして、漢民族を大量に移住させている。移住させる漢民族の数は膨大である。

これら各国が行ってきた入植の事例は、私たち日本人には信じられない出来事に思われるかもしれない。しかし、歴史を振り返ると、実は日本もそうは言っていられない。大和民族は東北の先住民族である蝦夷《えみし》、九州にいた隼人《はやと》や熊襲《くまそ》を平定し、同化させてきた。明治以降は沖縄の琉球民族や北海道のアイヌ民族を支配下に置いた。武家政権の統領であることを示す「征夷《せいい》大将軍」という官職は、元々「夷狄《いてき》（未開の民）を征服する」という意味で、大和民族が他の民族以外を滅ぼすためにつくられた官職である。世界史の観点からは一大汚点になるが、日本の学校ではまだ征夷大将軍が教えられている。こういうことに気がつかないところが日本人の能天気なところだが、日本がかつて満州を植民地化したことを忘れてはならない。「満蒙開拓団」は満州とモンゴル（蒙古）に対する入植という意味を持つ。つまり日本人も他国と似たようなことをやってきているのだ。韓国では「日本の三悪人」が中学の教科書で教えられている。1人は豊臣秀吉で、二度にわたって朝鮮に出兵した。2人目は伊藤博文で、韓国を併合したが安重根《あんじゅうこん》に暗殺された。3人目は西郷隆盛だ。彼の唱えた「征韓論」は韓国を征服するという意味である。

これらの問題はすべて入植から出ている。日本民族も同じようなことを行ってきたのだ。

第三次世界大戦の可能性とネタニヤフ首相の失脚

今回のイスラエルとパレスチナの衝突は、かなり深刻な状況に陥る可能性がある。なぜなら、イスラエルと対立しているイスラム組織はハマスだけではないからだ。

イスラエルは、ガザ地区に拠点を置く「イスラム聖戦」というスンニ派軍事組織とも対立しているほか、レバノンにいる「ヒズボラ」という武装組織は、ハマスより規模が大きくて14万人もおり、イランの支援でミサイルを大量に保有し、イスラエルに打ち込んでいる。

アメリカが恐れているのは、イスラエルから他の中東地域に戦禍が拡大することである。そこで、地中海に空母打撃群を派遣し、「ヒズボラ」がイスラエル北部に打ち込んでくるミサイルをアメリカ軍が撃ち落としている。ネタニヤフ氏が言うことを聞かないため、アメリカが自分で止めているのだ。

また、イランが支援するイエメンの反政府勢力「フーシ派」が、2023年11月19日に日本郵船が運航する貨物船を紅海で拿捕《だほ》した。フーシ派はイスラエルに関わる船だと主張しているが、日本政府は早期の解放を働きかけているのが実情だ。

このように、「ハマス」「ヒズボラ」「フーシ派」の3つのイスラム組織が、イランの援助を受けながら強度の武装をしているという状況がある。これに近年イスラム色を強めるトルコやウクライナ侵攻で孤立を深めるロシアが関与すれば、「アメリカ・イスラエルVSイラン・ロシア、およびその他のアラブ諸国（場合によってはトルコも含めて）」という図式になる可能性があり、第三次世界大戦に発展する恐れもある（**図8上**）。世界の軍事専門家が最も恐れているシナリオだ。

今回のイスラエルとパレスチナの衝突を局地戦と考えている人もいるかもしれないが、その外側にはシーア派のイランを筆頭に「ヒズボラ」や「フーシ派」などのイスラム組織がうごめいており、これらが絡んでくると収拾がつかなくなる。さらに2024年4月、イスラエルがシリアにあるイラン大使館を空爆したことに対し、イランが報復として史上初めてイスラエルへ直接攻撃を行った。これがエスカレートすると、イスラエルとイランが全面衝突に陥る可能性も捨てきれない。

一方で、イスラエルのネタニヤフ首相は失脚する可能性がある（**図8下**）。彼は今、国民

図8　今後の展開は、①第三次世界大戦につながる破滅の道、②ネタニヤフ首相の失脚と「ガザ暫定自治政府設立」の2つ

①第三次世界大戦につながる破滅の道

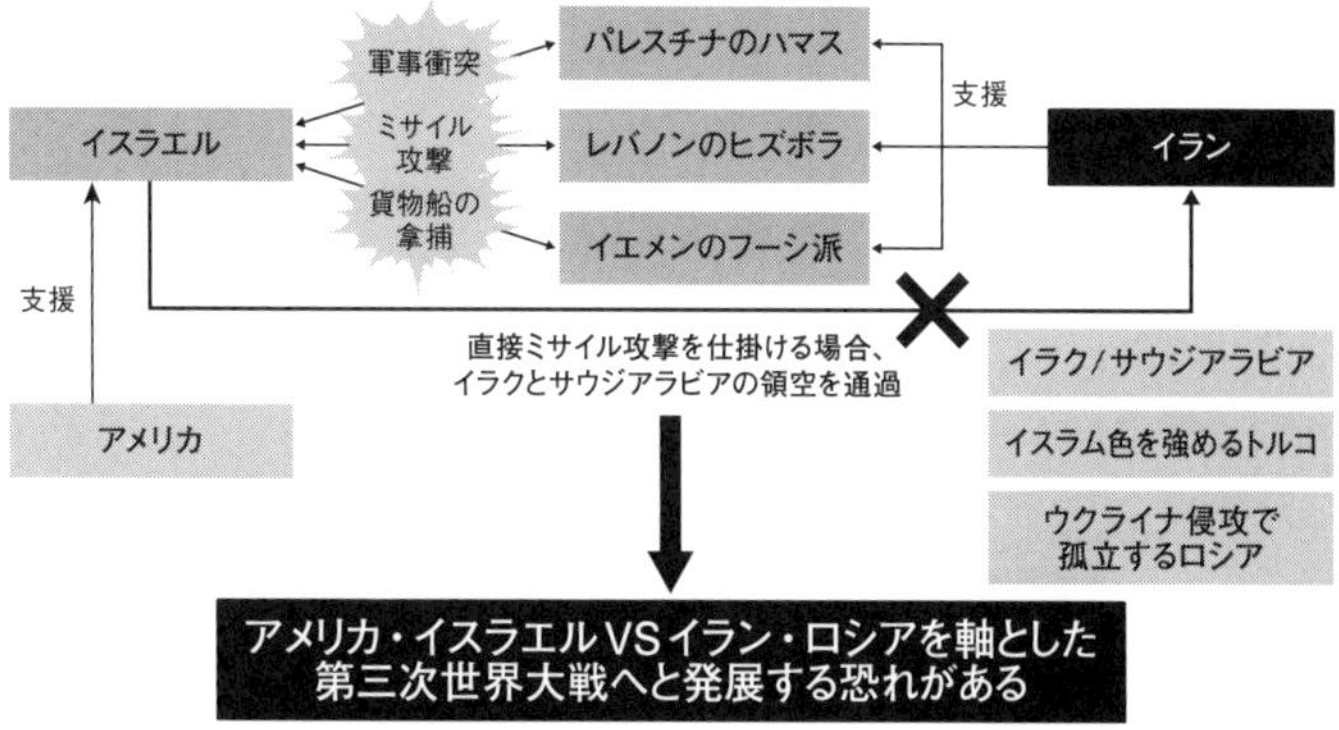

②ネタニヤフ首相の失脚と「ガザ暫定自治政府の設立」

ネタニヤフ首相の失脚

イスラエルの世論調査結果（マアリブ紙）

- 2023年10月7日に発生したハマスの襲撃について、国民の8割が「ネタニヤフ氏は責任を認めるべきだ」と考えている
- ハマス壊滅を目標に掲げたガザでの地上作戦については、65%が支持
- 一方で、ネタニヤフ氏が「首相にふさわしい」と答えたのは28%に留まり、戦時内閣の一角を担うガンツ前国防相の48%を大きく下回っている

このまま戦争が長期化して経済に悪影響を与え、イスラエルが国際的に孤立するようになれば、ネタニヤフ下ろしが現実味を帯びてくる

ガザ暫定自治政府の設立

- ネタニヤフ首相が失脚し、穏健派が実権を握っても、ハマスがガザを実効支配したまま停戦するとは考えにくい
- 現実的には、ハマスを排除したうえでガザに暫定自治政府を設立するのがよい。ヨルダン川西岸を治めるパレスチナ暫定自治政府にガザを治める力はないので、第三者の外国人部隊を入れて、新たな暫定自治政府をつくる

暫定自治政府（信託統治） ▶ **両陣営の埒外にいる国による信託統治とする**
- 北欧4カ国（オスロ合意の延長線上）
- マレーシア、インドネシア（非アラブ圏のイスラム国）

出所）「プレジデント」（プレジデント社）2023/12/26大前研一記事

の信頼を失っている。イスラエル紙『マアリブ』の世論調査によると、2023年11月時点でネタニヤフ氏が首相にふさわしいと考えている人は28％しかいない。戦闘開始から半年が経った2024年4月6日には、イスラエル全土でネタニヤフ氏の退陣と総選挙の実施を求めるデモが行われた。ネタニヤフ下ろしが現実味を帯びてくる可能性もある。

にもかかわらず、ネタニヤフ氏は「我々はハマスを殲滅するまで戦う」「パレスチナと二国共存はしない（オスロ合意を守らない）」「パレスチナそのものを相手にするのはやめた」などと言い出している。これは世界的に見ると、かなり深刻な問題だ。

「パレスチナと共存をしない」とネタニヤフ氏が言っている以上、オスロ合意は有名無実なのだが、二国共存は国連決議でもある。そこで、私が提案するのは、ガザ地区にハマスを排除した上で第三者の外国人部隊を入れて、新たな暫定自治政府をつくることである。そして、それができるまで国連による「信託統治」を実施するのだ。

信託統治とは、国連の信託を受けた国が一定の領土の統治を行うことである。たとえば、第一次世界大戦や第二次世界大戦の後、太平洋のミクロネシアの島々は信託統治という形で外国政府が統治した。日本も第一次世界大戦後、ドイツが統治していたパラオやミクロネシアの島々を当時の国際連盟からの委託で信託統治している。そして、第二次世界大戦後にアメリカが現在の国連からの委託で信託統治を行った。その後、これらの島々が自力で国家運営できるようになってから独立させて、国連のメンバーに入れる。それが信託統治である。ガザも同じ方式で段階的にパレスチナ国家の設立を目指せばいい。

信託統治を行う国は国連が決めるが、アメリカはイスラエルびいきがすぎて、パレスチナ人が受け入れないだろう。これではハマスが別の形で生き残り、凄惨《せいさん》なテロが続くことになる。

そこで、私は信託統治のメンバーとして、オスロ合意の仲介者がノルウェーであることを考慮して、北欧4カ国（ノルウェー、スウェーデン、フィンランド、デンマーク）、それから非アラブ圏のイスラム大国であるインドネシアとマレーシアを加えた6カ国で信託統治をさせるように提案すべきと考える。これら6カ国は国際的に非常に信頼が高いので、パレスチナを助けて独立国家として自立できるようにすればいい。そうなるとイスラエルも下手に手出しはできないだろう。これは国連が実施すべきだ。どのくらい効果があるかはわからないが、こういうルートを取らない限り、この問題は解決しないだろう。

障害となるのは、ハマスを殲滅するまで継戦するつもりのイスラエルのネタニヤフ首相である。今後、国際世論がネタニヤフ首相の失脚を後押しし、国連が信託統治を積極的に働きかけていくことが、イスラエルとパレスチナ、ひいては中東地域に平和をもたらすカギとなる。

アメリカによる軍事行動は下火へ

世界におけるアメリカの主導力が確実に弱まりつつあることが決定的になった。アメリカの政治学者イアン・ブレマー氏によると、かつてのG7が現在はG0（ゼロ）の状況だ。つまり、〝世界のボス〟が不在であることからトラブルが起こる。強い人間が一人いたらそんなことにはならない。

とくにアメリカは、「世界最大の軍事強国」というイメージとは裏腹に、ベトナム戦争以降は敗北を重ねている（図9上）。湾岸戦争やイラク戦争では「勝った」と言いながら、民主的な選挙を実施した結果、反米のシーア派政権が誕生してしまった。アメリカはわざわざ自分の敵を増やすために、その国の国民を独裁者から解放したわけである。

アフガニスタンに至っては、2001年に同時多発テロ事件の首謀者オサマ・ビンラディンを匿《かくま》っているとして、当時同国を支配していたタリバンを攻撃した。しかし、壊滅には至らず、その後徐々に勢力を回復したタリバンを脅威に感じたアメリカは、2021年にアフガニスタンから完全撤退した。そして、タリバンが政権に復帰し、アメリカとその同盟国は多くの戦死者を出すだけに終わったのである。

図9　冷戦終結後、G1となったアメリカは世界各地で戦争を起こしたが、いずれも惨敗か撤退、世論は支持政党や世代間で意見が対立

冷戦後の主なアメリカの軍事行動・経済制裁

	紛争・当事国	内　容	結　果
'90～'91	湾岸戦争	イラクによるクウェート侵攻に対し、多国籍軍が武力行使	反米色の強いシーア派政権が誕生
'01～'21	アフガニスタン戦争	アメリカ同時テロの首謀者とされる“オサマ・ビンラディン”の確保	ビンラディンは、パキスタンに潜伏していた
'03～'11	イラク戦争	大量破壊兵器の存在を根拠に米英などが武力行使	その後の調査で大量破壊兵器を発見できず
'11～	シリア内戦	アサド政権による反体制派への化学兵器使用	オバマ政権は武力行使は見送り
'14～	クリミア紛争	ロシアによるクリミア半島の実効支配	一部の経済制裁、軍事行動はせず
現　在	北朝鮮	核・ミサイル開発に対し、エネルギー等の貿易制限・経済制裁	ミサイル発射実験回数が増加
	イラン	核開発疑惑に関し、原油禁輸や国際金融網から排除	ロシアによる核開発支援が疑われている
	ロシア	ウクライナ侵攻に対し、経済制裁を実施	ウクライナ侵攻は長期化・泥沼化
	イスラエル・パレスチナ	イスラエルへの軍事支援、停戦調停	イスラエルは停戦を反故、攻撃を再開

●冷戦後、アメリカは世界各地で戦争を起こしたが、惨敗・敗戦、世界はGゼロとなった

イスラエルをめぐるアメリカ世論

■ イスラエル情勢をめぐるアメリカ世論

設　問	回　答	民主党支持者	共和党支持者	支持政党なし
イスラエルに武器を支援すべきか	はい	47%	57%	45%
	いいえ	53%	43%	55%
ガザに人道支援をすべきか	はい	70%	41%	59%
	いいえ	30%	59%	41%

■ イスラエルとパレスチナどちらに共感するか

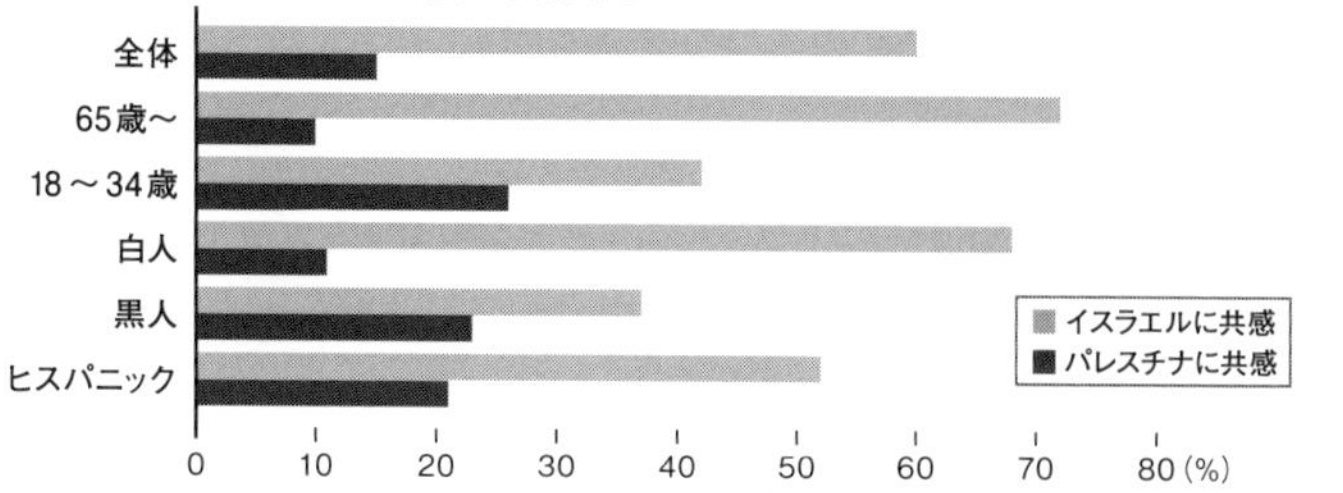

（出所）上／日本経済新聞、下／CBS News、ABC News

したがって、今回のイスラエルとパレスチナの衝突が、アメリカとイランの本格衝突に発展すれば、アフガニスタンと同様の展開になることが予想される。イランがしぶとく粘るうちに戦闘が長期化して、お互いに疲弊していくに違いない。

したがって、現在のアメリカは、世界に紛争が起こっても、自国の兵隊を送り込むことをせず、武器を供与するだけの状態である。ジョー・バイデン大統領も軍事産業をただ喜ばせている状況だ。

加えて、現在の問題はイスラエルである。アメリカのイスラエル贔屓《びいき》は目に余る状況だが、実際にはアメリカ世論においても、支持政党や人種、世代によって、イスラエルに対する感情は異なる（図9下）。事実、アメリカの若い世代はパレスチナ側に対するシンパシーが非常に強くなっている。人種で見れば、黒人やヒスパニック系はその傾向が強い。

ただ、アメリカ大統領としてイスラエルを批判すれば、ユダヤ系から叩かれて次の選挙を戦う資金が集まらなくなる恐れがある。バイデン氏がネタニヤフ氏に対して「国民の支持を失っている」と批判したのは前述したとおりだが、これは極めて珍しい発言である。ご存じのように、アメリカで反イスラエル的な発言をするのは難しい。たとえば、ペンシルベニア大学のリズ・マギル学長は、大学内で高まる反ユダヤ主義への対応で批判され、2023年12月に辞任している。同様に、ハーバード大学やマサチューセッツ工科大学（M

ＩＴ）の学長らにも圧力がかかっている。その他、金融、マスコミ、大学教授などにもユダヤ系が多く、発言は慎重にならざるを得ない。その点で、現在のアメリカ世論は今回のパレスチナとイスラエルの衝突に対して機能不全になっている。

本来であれば、アメリカがリーダーとしての地位を完全に失った状況においては、国連が頭を使って立ち回るべきなのだが、現在のアントニオ・グテーレス事務総長には荷が重すぎるようだ。

立場が割れるEUのウクライナ支援状況

アメリカと同様、欧州でも「ウクライナへの支援疲れ」が広がっている（図10上）。かつて旧ソ連の支配下にあったハンガリーやスロバキア、そして伝統的に反ロシア色が強いポーランドでさえ、国民の国粋主義的感情をあおって内向きになっている。

つまり、ＥＵももはや「ウクライナ支援」で一枚岩ではなくなりつつあるということだ。元々ＥＵには、新メンバーを入れる際に全員一致というルールがあるため、一枚岩と思われてきたのだが、近年は特にロシアに対する対応でブレが生じ始めている。

たとえば、ハンガリーのオルバーン・ヴィクトル首相は、「自分たちはロシアから石油を買っている。だからロシアと仲良くしよう。アメリカ寄りのことをしても何の得にもならない」という姿勢だ。実際、オルバーン首相は2023年12月のEU首脳会議で、EU執行部提案の対ウクライナ追加財政支援策に対して拒否権を発動して否決させた。それにスロバキアのロベルト・フィツォ首相も同調し、ウクライナでまん延する汚職に難色を示している。

ポーランドも同様の方向に向かいつつあったが、基本的には親ヨーロッパに戻ると思われる。2023年9月に、同国のマテウシュ・モラヴィエツキ首相が「今後ウクライナに武器は送らない」と述べるなど、ウクライナ支援の方向転換を示唆する発言をしたが、それを受けてアンジェイ・ドゥダ大統領は火消しに追われた。しかし、2023年12月には、元欧州理事会議長のドナルド・トゥスク氏を新首相に任命し、EUの方針に戻ると思われる。

他方で、リトアニアのギタナス・ナウセダ大統領や、エストニアおよびベルギーの首相はウクライナへの支援拡大や継続を訴え、EU内でも意見対立が露《あら》わになっている。

では、イスラエルとパレスチナの衝突に対する、EU諸国の立場はどうか。

やはり「イスラエルを無条件に支持している」として内部から批判の声が上がっている

図10　EUはウクライナ支援をめぐり内部で意見が割れていたが、イスラエルとパレスチナの戦争においても立場が割れている

EUで表面化する対立

ウクライナ支援をめぐる対立

- 欧州では「ウクライナへの支援疲れ」が広がっており、かつて旧ソ連の支配下にあったハンガリー、スロバキア、そして伝統的に反ロシアのポーランドでさえ、国民の国粋主義的感情をあおって内向きに
- 反対：ハンガリーのオルバーン首相はEU首脳会議で、EU執行部提案の対ウクライナ追加財政支援に反対する考えを表明。スロバキアのフィツォ首相も同調し、ウクライナでまん延する汚職に難色を示す
- 賛成：リトアニア大統領やエストニア、ベルギーの両首相は支援拡大や継続を訴え、意見対立が露わに

イスラエル・パレスチナ戦争をめぐる対立

- イスラエルを無条件に支持しているとして内部から批判の声が上がっているほか、人道目的の休戦などを求める国連総会での決議案の採決でも加盟国の間で立場が割れる
- 国連総会の緊急特別会合で行われた人道目的での休戦などを求める決議案の採決では、加盟国の間でも立場が割れ、EUが一致して対応する難しさが表面化

  〇：フランスやスペインは賛成
  ×：オーストリアやハンガリーは反対
  △：ドイツやバルト三国は棄権

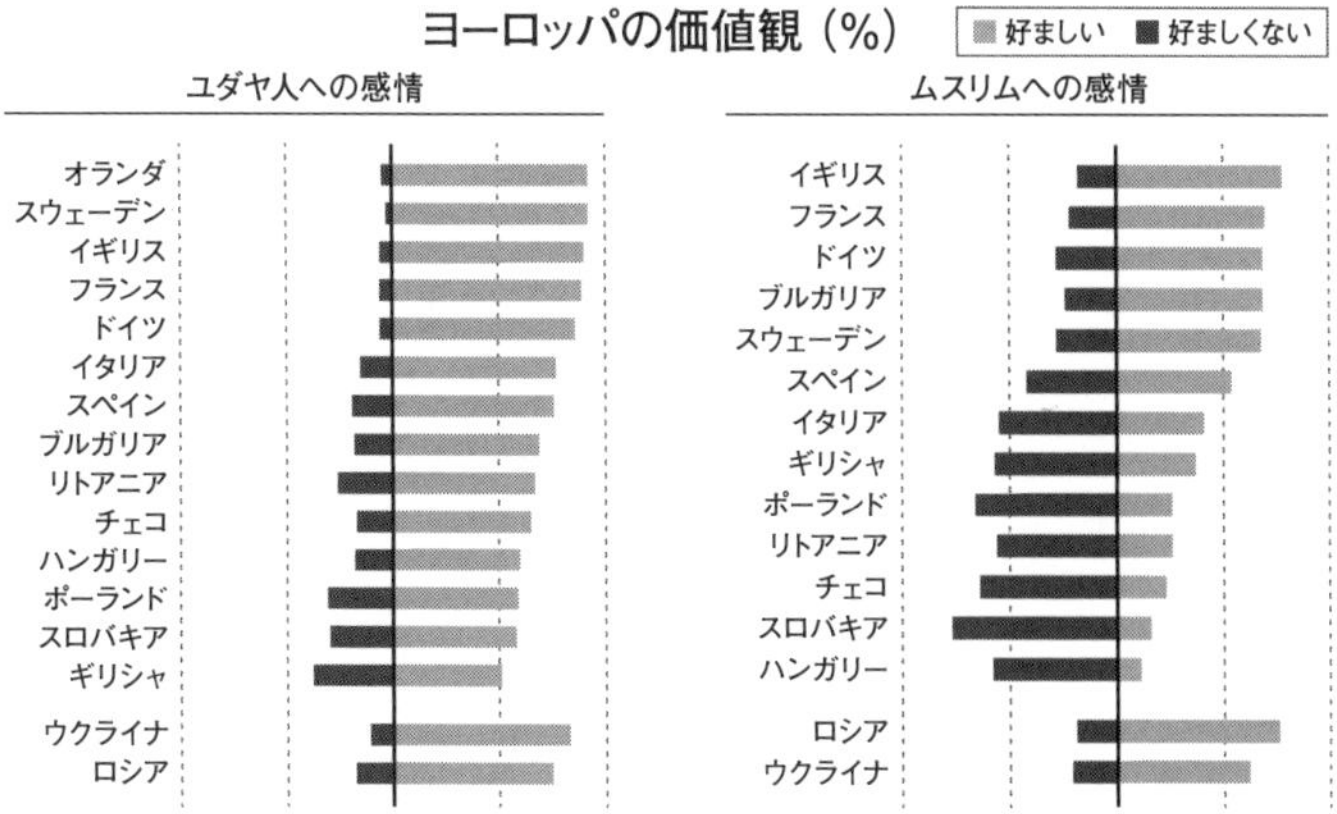

（出所）上／REUTERS、下／Pew Research Center

ことに加え、人道目的の休戦などを求める国連総会での決議案の採決においても、加盟国の間で立場が割れている。EUが一致して対応することの難しさが表面化しているのだ。具体的には、フランスとスペインはイスラエル支援決議案に賛成したが、オーストリアとハンガリーは反対、そしてドイツとバルト三国は棄権という状況である。

ユダヤ人に対して、北欧や西欧の国々の多くは過去の出来事に対する贖罪《しょくざい》意識から友好的だが、旧ソ連圏の国々は必ずしもそうではない（図10下）。また、ムスリム（イスラム教徒）に対する感情も、イギリスやフランス、ドイツなどは前向きだが、旧ソ連圏の国々では反発が強い。このように欧州の一枚岩の状況が崩れつつあるのだ。

とりわけロシアには、イスラエルを支援しなければならない事情がある。イスラエル建国の際、世界中からユダヤ人がパレスチナに移住したが、一番多かったのは旧ソ連からだった。未だにイスラエルには、旧ソ連出身、つまりロシア系ユダヤ人が国内政治的に一番多い。だから彼らは選挙の度にロシア参りをする。ロシアのほうもイスラエルを無視できない状況だ。

先進国と新興国の経済格差が縮小し、中国とインドは超大国へ

次に、経済について見ていこう。

先進国と新興国に分けて考えると、新興・途上国の合計GDPがG7の合計GDPを抜き、2027年には逆転すると言われている（図11上）。

2023年の特筆すべきトピックスとしては、GDPでドイツが日本を抜いて、世界第3位になったことが挙げられる。そして日本は、じきにインドにも抜かれるだろう。2050年にはインドが第3位となり、ドイツも落ちてくる。インドネシアが上がって、日本は第6位だ。今から50年後の2075年には日本が第12位まで転落するという予測もある（図11下）。

このように、日本の将来を見ると、明るい話題は非常に少ない。日本で働きたいと思う外国人も少なくなっており、移民・難民のポリシーも整備されていない。「人材の足りない業界だけ、外国人を入れよう」という虫のいい姿勢では厳しいだろう。

ゴールドマン・サックスのGDP予測のうち、私が違うと思っているのは、中国が2050年も第1位にとどまっていることだ。現在はインドのほうが圧倒的に勢いがあり、中

図11　欧米諸国が対立・迷走するなかで、先進国と新興国の経済格差が縮小しており、中国とインドが超大国へと向かっている

G7と新興・途上国のGDP

GDPランキングの予測

順位	2023年	2050年	2075年
1	アメリカ	中国	中国
2	中国	アメリカ	インド
3	ドイツ	インド	アメリカ
4	日本	インドネシア	インドネシア
5	インド	ドイツ	ナイジェリア
6	イギリス	日本	パキスタン
7	フランス	イギリス	エジプト
8	イタリア	ブラジル	ブラジル
9	ブラジル	フランス	ドイツ
10	カナダ	ロシア	イギリス
11	ロシア	メキシコ	メキシコ
12	メキシコ	エジプト	日本
13	韓国	サウジアラビア	ロシア
14	オーストラリア	カナダ	フィリピン
15	スペイン	ナイジェリア	フランス

(出所)上／IMF「World Economic Outlook database : October 2023」、下／ゴールドマン・サックス

国のように一人の指導者に依存している国が成長するとは思えない。私はインドがトップになっていてもおかしくないと考えている。

存在感が高まる「グローバルサウス」の国々

２０２３年は日本がＧ７の議長国で、インドはＧ20の議長国だった。そして２０２３年は「グローバルサウス」が前面に出てきた年でもある（図12上）。

グローバルサウスとは、南半球に多い新興国の総称だ。具体的には、インド、イラン、サウジアラビア、フィリピン、インドネシア、南アフリカなどを指す。

インドのナレンドラ・モディ首相は、２０２３年9月のＧ20サミットにグローバルサウスの国々を呼び、彼らの声を声明に反映させようとした。元々グローバルサウスは一枚岩ではなく、欧米と敵対するイランや南アフリカ、中立のサウジアラビアやインドネシア、や欧米寄りのインドやフィリピンなどに分けられる。ただ、彼らをＧ20に呼んだことによってインドの国際的地位が上がったことは間違いない。すなわち、インドがグローバルサウスの盟主として定着したことを意味する。

主なグローバルサウスの国々の首脳の発言をまとめてみた（図12下）。彼らに共通するのは、気候変動のような地球規模の問題に対し、欧米中心の国際秩序へ反感を抱いていることだ。

インドは自身を「第三極」と言いながら、ロシアから武器を買うような狡猾《こうかつ》さを持つ。ウクライナ侵攻が始まったら買うのをやめ、今度はフランスからラファール戦闘機などを買っている。それでも「ロシアから何か買わなければ」と、石油や穀物を買っているのだ。まさに究極の〝いいとこどり〟である。

それでもインドは強い。世界のどこに出しても恥ずかしくない人材がたくさんいる。事実、アメリカのトップ企業にはインド人のＣＥＯが増えている。たとえば、グーグルを傘下に持つアルファベットをはじめ、マイクロソフト、ＩＢＭ、さらにはスターバックスコーヒーやシャネルもそうだ。オーストラリアも似たような状況になっている。私が２０２３年のボンド大学の卒業式に出たとき、かつての中国系に比べてインド系が非常に増えていた。

２０２３年11月にはアメリカのジョー・バイデン大統領がインドネシアのジョコ・ウィドド大統領に対し、「インドネシアはアジア最大のパートナーだ」と述べている。日本はもう話題にもならない。人口２億７０００万人超のインドネシアがアジア最大のパートナー

図12　G7や中国、ロシアのどちらとも一定の距離を保とうとする「グローバルサウス」と呼ばれる国々の存在感が高まっている

グローバルサウスを取り巻く国際情勢

権威主義
ロシア ＝（連携） 中国

⇔ 対立

民主主義
G7
アメリカ、イギリス、ドイツ、フランス、イタリア、カナダ、日本

↓ 関係強化　　↓ 関係強化

グローバルサウス（南半球に多い新興国の総称）

G7や中国・ロシアの双方とも一定の距離感

反欧米	中立	やや欧米寄り
イラン 南アフリカなど	サウジアラビア インドネシアなど	インド フィリピンなど

グローバルサウスが国際情勢に抱く悪感情
- ●欧米中心の国際秩序への反感
- ●欧米によるロシア制裁の煽りで自国経済に悪影響
- ●欧米のダブルスタンダード（シリア・イエメンとウクライナの差）
- ●欧米による植民地支配の負の遺産（人工的な国境線、民族紛争等）

グローバルサウス首脳の主な発言

モディ首相（インド）

「G20は強くなり
グローバルサウスの声も
強くなる」
（AUの参加決定について）

前G20議長国

ジョコ大統領（インドネシア）

「グローバルサウス諸国の声と
利益を伝え続ける。
より広範な地域代表を
推奨する」
（AUの参加決定について）

ASEAN議長国

ルラ大統領（ブラジル）

「スピード感を持って
行動しなければ、影響は
取り返しがつかなくなる」
（温暖化対策について）

G20議長国

ラマポーザ大統領（南アフリカ）

「気候変動に対して
最大の責任を負い、
手段を持つ先進国が
途上国の持続可能な開発を
支援すべきだ」
（気候変動対策について）

BRICS議長国

（出所）上／北海道新聞デジタル、『日経大予測2024これからの日本の論点』（日経BP社）、下／日本経済新聞、

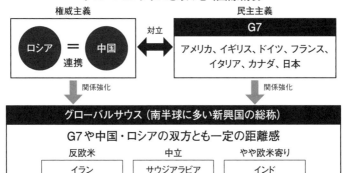

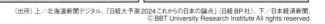

なのだ。本当は中国なのだが、アメリカは中国を競争相手だと考えているので「パートナー」とは呼ばない。ちなみにジョコ大統領の後継者は、路線継承を掲げるプラボウォ・スビアント国防相が次期大統領と目されていたが、2024年2月に行われた大統領選挙で、同氏が当選し、10月に新大統領に就任することになっている。

世界の潮流を受けて求められる、新たな国際秩序

2023年を通じて、欧米先進国の価値観とは異なる国家や地域が増えていることが顕著になった。マッドマンが主導する国家が増え、グローバルサウスが台頭した。さらに、イスラエル・ガザ戦争、ウクライナ侵攻など、紛争や戦争が増えており、新たな国際秩序が求められている（図13）。

現在は〝G0（ゼロ）〟、すなわち指導者がいない世界である。国連が機能不在に陥り、紛争が起こっても解決の手段がない。ウクライナ侵攻に対するロシアへの非難声明も中国の反対でうまくいかず、当然ロシアも反対している。また、ガザ地区に対するイスラエルの非人道的な攻撃に対する停戦決議も、アメリカが拒否権を発動して通らない。国連は世

図13　**欧米先進国の価値観とは異なる国家・地域が増加しており、紛争や戦争が生じやすくなっているため、新たな国際秩序が必要**

2023年に起こった世界の潮流
マッドマン主導の国家が増加
ウクライナ侵攻
イスラエル・ガザ戦争
グローバルサウスの台頭
世界の潮流の意味合い
「G7・欧米先進国の価値観」これを目指さない国が増えてきた
Gゼロの世界
国連が機能不全の状態のため
価値観の対立から紛争・戦争が起きやすい
結果、紛争が絶えなくなる
解決策は?
新たな国際秩序
「新・国連」の創設
世界の賢人を集めて「新・国連」のビジョンとアジェンダをつくり、提案する

（出所）BBT大学総合研究所

界の犯罪に対して何ら解決能力を持っていないのである。

今必要なのは、国連のゼロベースでの立て直しだ。一言で説明すると、第二次世界大戦の戦勝国（アメリカ、ロシア、イギリス、フランス、中国）で占められている安全保障理事会常任理事国による拒否権を撤廃し、安保理でさえも加盟国の過半数または3分の2で採決する形に変えていかないと、一歩も前に進まない状況である。

「新・国連」の創設として、世界の賢人を集めて「新・国連」のビジョンとアジェンダをつくり、提案する必要があるだろう。

その際、ポイントとなるのは次の3つだ。

1．安保理常任理事国に相当する「最高意思決定機関」をつくり直す

現在および将来の世界を考える上で重要と思われる複数の国、たとえばG20の構成国で、新たな国連の意思決定機関を創設する。

そして、国同士の紛争など世界レベルで解決を図らなければならない問題が起こり、総会に決議案が提出された場合は、加盟国の過半数または3分の2で可決とする。

しかしながら、これでは、事あるごとに拒否権を行使してきたロシアや中国は同じことができなくなるため、「新・国連」への参加を拒むかもしれない。そこで、そのようなケー

スを見越して、「不参加の大国には国際社会が強力な経済制裁を科す」といった仕組みも同時につくっておく。

2．国民国家の枠を超えて、〝人々〟に焦点を当てた仕掛けにする

従来、国連への加盟は国単位だったが、「新・国連」では、国に加え、しかるべき大きさの民族や宗教グループの代表もメンバーに加えるようにする。

たとえば、クルド人は自分たちの国を持っていない、世界で最も人数の多い民族だ。そのため、現在トルコのエルドアン政権下で徹底的に迫害されているにもかかわらず、世界に向けてそれを訴えようにも、その術《すべ》がない。そこで「新・国連」では、そのような人たちにも発言の場を与えるのである。もちろん、中国で迫害されているウイグル人やチベット人、モンゴル人なども対象になるだろう。

宗教という括《くく》りには、カトリック、プロテスタント、ロシア正教、ユダヤ教、イスラム教、仏教、ヒンドゥー教などが含まれる。さらに、少数派の民族やマイノリティグループの人たちの代表にも席を用意して、意見を述べてもらう機会を提供する。このような民族や宗教などの代表者が自由に発言し、意思決定に参加できるようになると、これまではなかった問題解決のためのユニークなアイデアがたくさん出てくるだろう。

3．組織を企業でいうホールディングカンパニーのような形態にする

北米、ヨーロッパ、アジアなど地域別にサブグループをつくって、そこで地域内の紛争や人権問題などを話し合い、そこで結論が出ない問題については、サブグループを統括するホールディングカンパニーの役員会で協議して解決を図る。

一足飛びに現在の国連に代わる新しい国際組織の創設が難しいのであれば、世界の賢人を集めてオンブズマンとし、彼らに「新・国連」のビジョンとアジェンダづくりを任せるという手もある。

賢人とはたとえば、フランスから経済学者のジャック・アタリ氏や人口統計学者のエマニュエル・トッド氏、アメリカから国際政治学者のイアン・ブレマー氏、イスラエルから歴史学者のユヴァル・ノア・ハラリ氏といった人たちである。彼らに、今人類に問われている世界大戦や世界恐慌を繰り返さない知恵や方法について議論し、起案だけでなく解決策も提示してもらうのだ。

安保理常任理事国になれない日本やドイツこそが、このような大胆かつ具体的な提案をしていくべきだと私は思っている。

第1章をもっと深く理解するためのキーワード

FRB（連邦準備制度理事会）

The Federal Reserve Board の略称。アメリカの中央銀行にあたる、金融政策の最高意思決定機関。メンバーは大統領が任命する7名の理事（任期14年）で構成される。理事会を統括する議長（任期4年）の考え方がアメリカの金融政策に反映されるため、その一挙手一投足に世界のマーケット関係者が注目する。

ハマス

パレスチナのガザ地区を実効支配するイスラム組織。名称はアラビア語で「イスラム抵抗運動」を意味する言葉の頭文字を並べたもので、現在の最高指導者はイスマーイール・ハニヤ氏。イスラム原理主義組織「ムスリム同胞団」を母体に、１９８７年にパレスチナ住民の間で広がった反イスラエル闘争（インティファーダ）を機に結成された。パレスチナ土地奪還と、パレスチナ人権保護を目的に活動している。また、武力によるイスラエルの打倒とパレスチナにおけるイスラム国家の樹立を目標に掲げる。

ミンスク合意

２０１４年9月5日にベラルーシの首都ミンスクで、ウクライナ、ロシア、ドネツク人民共和国、ルガンスク人民共和国が調印したドンバス地域における戦闘停止に関する合意文書（ミンスク１）。２０１５年2月11日にドイツとフランスの仲介によりミンスク２が調印された。

沿ドニエストル共和国

モルドバ国内にある事実上の独立国家。モルドバ東部を流れるドニエストル川と、モルドバとウクライナの陸上国境とに挟まれた南北に細長い地域に位置する。首都はティラスポリ。独自の政府、議会、軍隊、警察、憲法、国旗、国歌、国章を承認している。ロシアの支援を受けているものの、国際的にはほとんど承認されていない。

カリーニングラード

ロシア連邦西端部の港湾都市。バルト海沿岸にあり、リトアニアの南西方に位置するロシアの飛び地。カリーニングラード州の州都。造船・機械工業が盛ん。13世紀に建設され、第二次世界大戦まで東プロイセンの中心都市としてケーニヒスベルクと称した。１９４５年のポツダム会議により旧ソ連領となり、１９９１年12月の旧ソ連崩壊に伴い、ロシア連邦の一都市となる。

ピョートル一世（1672～1725）

初代ロシア皇帝（在位1682～1725）。大北方戦争での勝利により、「ピョートル大帝」と称される。ロシアをヨーロッパ列強の一員に押し上げると、スウェーデンからバルト海海域世界の覇権を奪取してバルト海交易ルートを確保。また黒海海域をロシアの影響下に置くことを目標とした。これらを達成するために治世の半ばを大北方戦争に費やし、戦争遂行を容易にするため行政改革、海軍創設を断行。さらに貴族に国家奉仕の義務を負わせ、正教会を国家の管理下に据え、帝国における全勢力を皇帝の下に一元化した。また歴代ツァーリが進めてきた西欧化改革を強力に推進し、外国人を多く起用して国家体制の効率化に努めた。

ワグネル

ロシアの民間軍事会社。ロシアの正規軍ではなく、プーチン大統領に極めて近い傭兵組織だとされる。2023年6月23日、創設者エフゲニー・プリゴジン氏が呼びかけた武装蜂起によってモスクワへの進撃を開始し、プーチン大統領もこれを「反乱」とみなしたため、内戦が予想されたものの、ベラルーシのルカシェンコ大統領の仲介でプリゴジン氏は進撃を停止。事態はわずか1日で収束した。

PLO（パレスチナ解放機構）

Palestine Liberation Organization の略称。イスラエルからのパレスチナの独立を目的に設立されたパレスチナ人の政治的統合機関。1964年、アラブ連盟の下に、パレスチナ難民を代表する合法的組織として創設。1974年、アラブ連盟首脳会議でパレスチナ人の唯一の正当な代表として承認され、国連オブザーバーの資格を得た。1993年、パレスチナ暫定自治協定に調印し、ヨルダン川西岸地域に自治政府を組織することが認められた。

オスロ合意

パレスチナの暫定自治を認めたイスラエルとパレスチナ解放機構（PLO）との「パレスチナ暫定自治に関する原則宣言」を指す。両者を仲介したノルウェーの首都オスロでの協議を経て、1993年9月にアメリカの首都ワシントンのホワイトハウスで双方が調印した。内容は、イスラエル軍が占領地から撤退し、5年間の暫定自治期間中に聖地エルサレムの帰属や境界画定、難民帰還など最終地位交渉を行うというもの。1948年のイスラエル建国に端を発する同国とアラブ諸国の紛争解決のための中心に位置づけられていた。

ファタハ

PLO内の最大組織。初代議長はヤセル＝アラファト。パレスチナを二分するもう一方の勢力であるイスラム原理主義組織のハマスに対して「穏健派」とよばれる。2007年にハマスがガザ地区を武力制圧し、パレスチナ自治区はファタハが統治するヨルダン川西岸地区とハマスが実効支配するガザ地区に分断されたが、２０１１年、両組織は和解文書に署名した。

ＣＩＳ

Commonwealth of Independent States の略称。バルト三国（エストニア、ラトビア、リトアニア）を除く旧ソ連構成12カ国から成る独立国家共同体。１９９１年12月8日、ロシア、ウクライナ、ベラルーシの首脳が創立を宣言し、１９９３年には12カ国すべてが加盟。ＥＵ型組織を目指したが、独自の憲法や議会を持っておらず、必要に応じて首脳会議や外相会議、国防相会議などが開かれている。しかし、調印された協定に強制力はなく、有名無実化している。

ヒズボラ

「神の党」を意味する、レバノンの親イラン、シーア派のイスラム教徒の宗教・政治・軍事組織。１９８２年のイスラエル軍のレバノン侵攻時にイランから送り込まれた「イラン革命防衛隊」によって組織され、現在、首都ベイルート南部、ベカー高原などに多数の民兵を擁している。

フーシ派

2011年に広がった中東の民主化運動「アラブの春」以降、イエメンで台頭したイスラム教シーア派系のザイド派の武装組織。2015年に首都サヌアから暫定政府を追放し、国内の大半を支配下に置いた。指導者はアブデルマリク・フーシ氏。

グローバルサウス

南半球に多いアジアやアフリカなどの新興国・途上国の総称で、主に北半球の先進国と対比して使われる。世界経済における格差など南北問題の「南」にあたる。実際に領土が南半球に位置しているか否かは関係なく、新興国全般を意味する場合が多い。

第2章

リセッション入りする世界経済

過剰債務とインフレが回復を阻害する

鮮明となった先進国と新興国の成長率の差

現在の世界経済は、先進国と比べて新興国の経済成長のスピードが非常に速い（図14）。とりわけインドの成長率がトップである状況がここ数年続いている。次いで、中国、ブラジル、ロシア、南アフリカと続くが、2024年はとりわけインド、中国、南アフリカの成長率がどうなるかに注目したい。

地域別に見ると、新興アジア諸国が最も伸びており、その他にもASEAN5カ国（インドネシア、マレーシア、タイ、フィリピン、ベトナム）やサブサハラ（アフリカ大陸でサハラ砂漠以南の地域の総称）、中東欧、中南米、さらには中東・中央アジアの経済成長率が高い。2024年はとくに新興アジア諸国、ASEAN5カ国、サブサハラ、中東・中央アジアが伸びていくと予想される。

一方、先進国はどうか。アメリカは、金融と財政の引き締めで厳しい経済状況が続いている。また、欧州はロシアのウクライナ侵攻が引き起こしたエネルギー危機が懸念材料だ。中国は高い成長率を維持してきたものの、不動産部門の低迷が国全体の経済成長を押し下げる要因となっている。

図14　**2023年の世界経済の成長は鈍く、先進国と新興国の成長率の違いが鮮明となった**

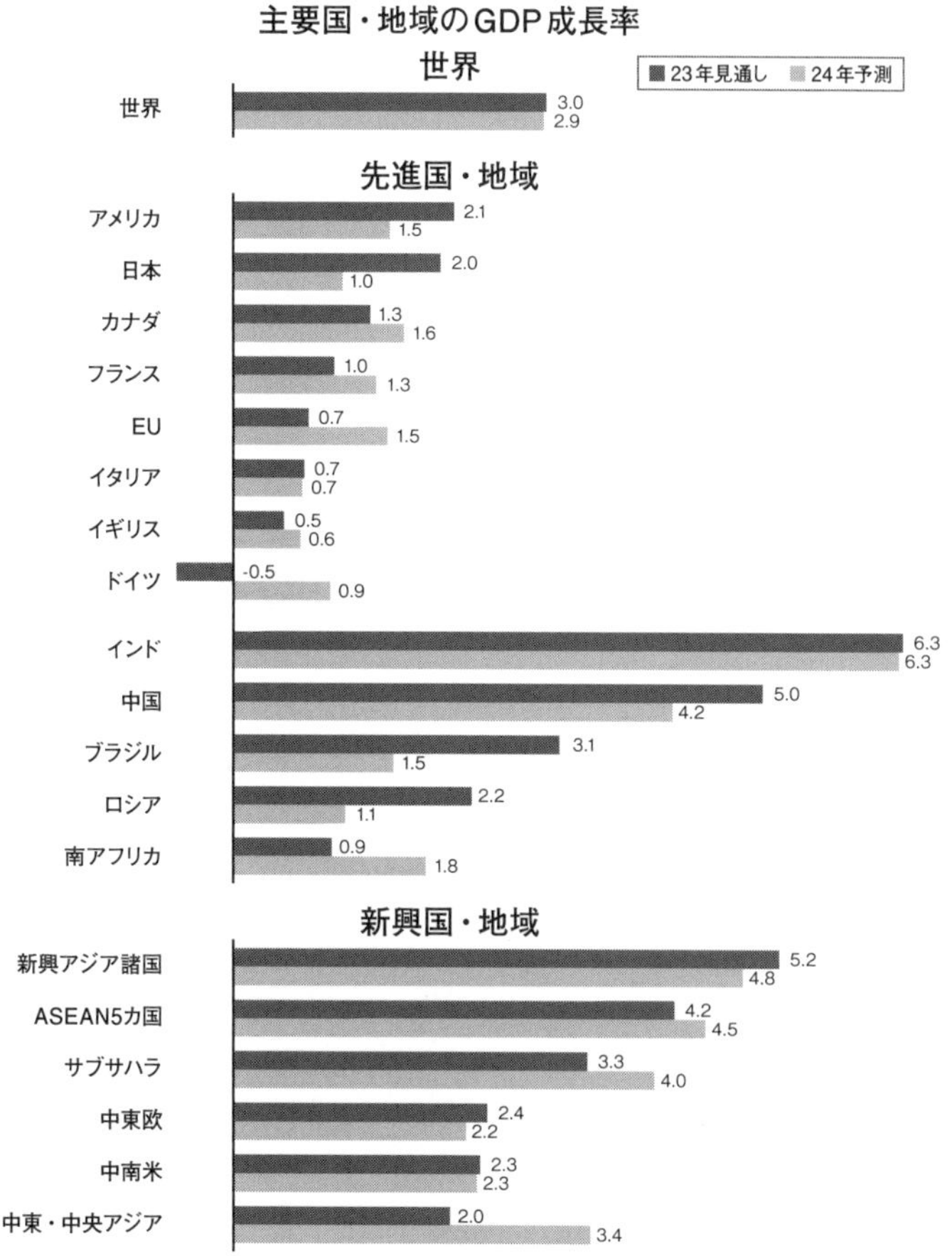

●アメリカは金融と財政の引き締め、欧州はウクライナ戦争が引き起こしたエネルギー危機、中国は不動産部門の低迷が経済成長を押し下げる要因に

（出所）IMF「World Economic Outlook database : October 2023」

２０２３年の世界全体の成長率は約３％であり、この水準は２０２４年も変わらないと予想される。一方で、日本の成長率は２０２３年が２％、２０２４年は１％と予想されており、高い経済成長は見込めない。成長率だけを見れば、他の先進国もほぼ同水準である。

くすぶり続ける世界経済の阻害要因

２０２４年の世界経済は、コロナ禍、ロシアのウクライナ侵攻、インフレからの回復を目指しているが、阻害要因は依然として残っている（図15）。

世界の経済成長を阻むリスク要因として、まず各国政府の「過剰債務」が挙げられる。アメリカもそうだが、中国も債務問題が非常に大きい。さらに世界中で政府が輪転機を回していることからくる過剰債務が、世界中の金融危機を引き起こす可能性もある。

次に挙げられるのは「食料・エネルギー価格の高騰」だ。特にウクライナやロシアで生産された穀物が世界に入ってこなくなっている。さらにロシアへの経済制裁やコロナ後の経済復興など、経済成長の阻害要因は未だに残っている。

さらに「中国経済の減速」も無視できない。中国経済は不動産危機がもたらした不況に

図15　**世界経済はコロナ禍、ウクライナ侵攻、インフレからの回復を目指すものの、依然として阻害要因が残る**

（出所）IMF、各種報道・資料より作成

よって若者の失業率が深刻であり、外資系企業も撤退している状況だ。これまで世界経済を牽引していたのは中国であるだけに、世界全体に与える影響はかなり大きいだろう。習《しゅう》近平《きんぺい》政権がどのように舵取りするかに目が離せない。

さらに根強い「インフレ圧力」の問題もある。2018年以来の米中対立により、両国間のサプライチェーンが分断されており、人件費だけが上昇している状況だ。アメリカのGM（ゼネラルモーターズ）はUAW（全米自動車労働組合）が起こしたストライキに対し、基本賃金を25％引き上げるとして大きく譲歩した。だが、月給80万円の工員がつくった自動車を買うような消費者が果たしているだろうか。また、米中の対立もインフレの圧力を強めている。

最後に「気候変動」問題は、どのような対策を講じても、気温の「1・5度上昇」は避けられず、世界的に異常気象や自然災害が止まらない状況だ。洪水や山林火災も問題になっている。CO_2排出量の増加に世界がどのように取り組むのかが課題である。

その他、世界経済は新型コロナウイルスからの回復に加え、ロシアのウクライナ侵攻の長期化など、成長の阻害要因が依然として残されている。これらが今後どのように影響してくるのかによって、世界の行く末も変わっていくことになるだろう。

経済対策やエネルギー価格急騰への対処で高止まりする債務

各国のコロナ関連の財政支援は終了したものの、経済対策やエネルギー価格急騰への対処を目的に各国とも債務が高止まりしている状況だ。

新興国と先進国の債務は、対GDP比で200％前後になっている。具体的には、2022年時点で新興国が191・2％、先進国が277・9％、世界全体では238・1％だ（図16上）。コロナ禍の収束にともなって債務は縮小しているものの、依然として高い水準にあることがわかる。債務の持続可能性が引き続き懸念材料となっているのだ。

また、公的債務と民間債務もともに増えている（図16下）。公的債務はGDP比で92・4％だが、民間債務のほうはGDP比145・7％と非常に高い。どちらも高止まりしていると言ってもいい。これは次の世代が返せるような状態ではなく、この問題が金融危機のトリガーになる可能性がある。

問題は、急速なインフレにもかかわらず、債務が高止まりしていることだ。コロナ関連の財政支援は終了したものの、食料・エネルギー価格高騰への対処を目的に、各国政府が支出を拡大しているのである。

図16　コロナ関連の財政支援は終了したものの、経済対策やエネルギー価格急騰への対処を目的に債務が高止まりしている

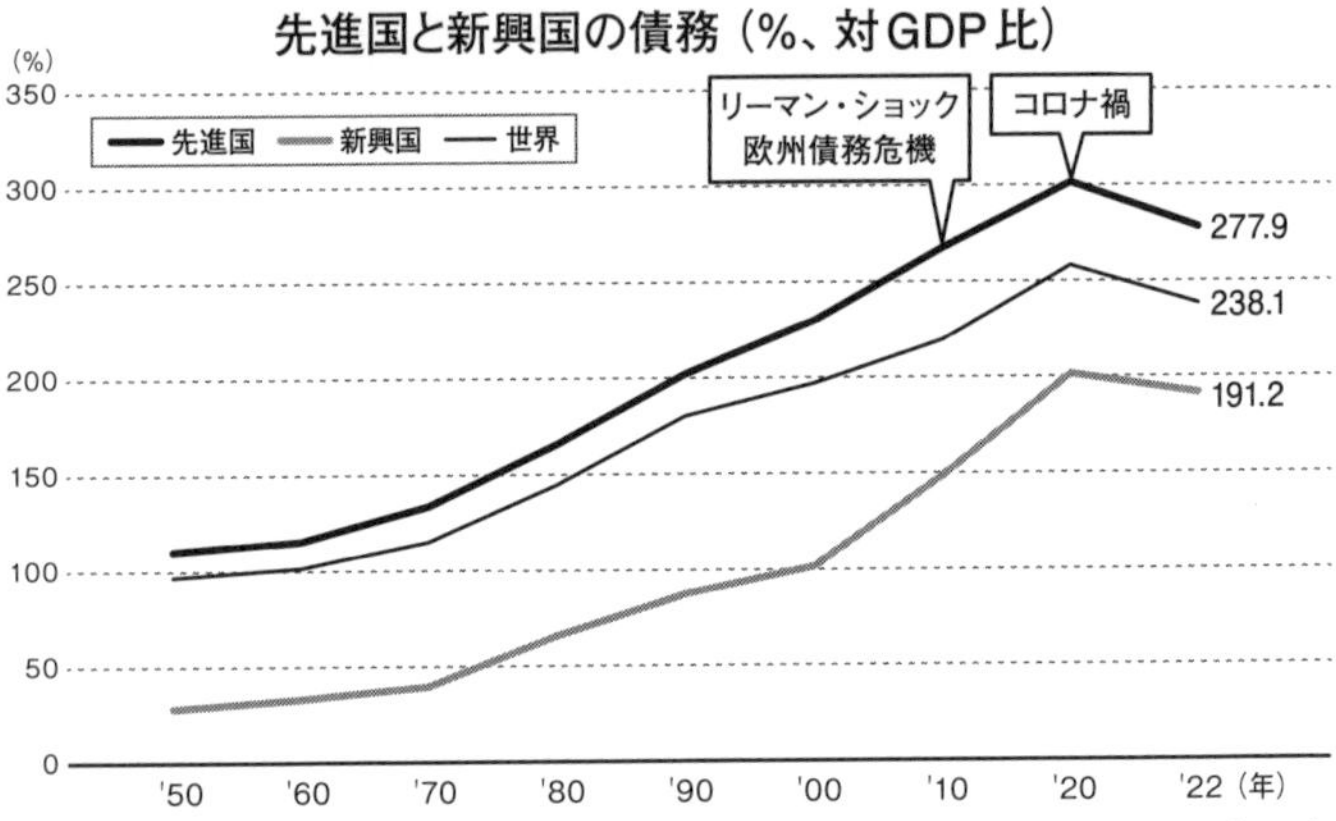

●コロナ禍の収束にともない、世界債務は縮小しているものの、依然として高い水準にあり、債務の持続可能性が引き続き懸念材料となっている

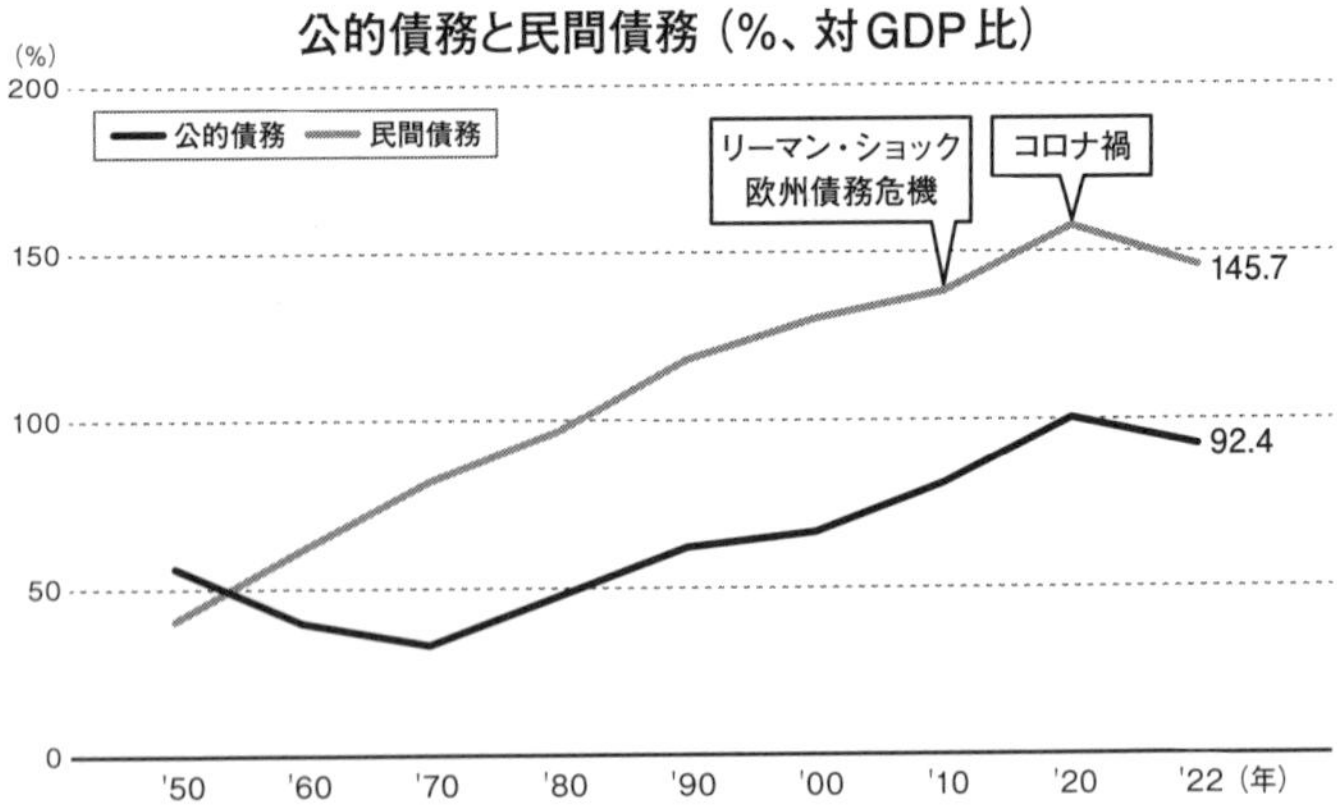

●急速なインフレにもかかわらず、債務は高止まりしている
●コロナ関連の財政支援は終了したものの、食料・エネルギー価格高騰への対処を目的に、各国政府が支出を拡大している

(出所) IMF「2023 GLOBAL DEBT MONITOR」

確かに、債務の増加は〝民主主義〟がもたらす現象の一つでもある。国民から選ばれた政府は、国民にバラマキをすること、つまり将来から借金をすることによって債務を増加させ、経済を動かしている。食料品も資源も高い状況に対し、「では、政府が補助してあげましょう」と言い、公的債務が増えてしまうのである。こうした状況をどう是正していくのかが、今後の各国政府の課題になるだろう。

日本は主要国の中で唯一金融緩和を継続した結果、円安が加速

主要国がインフレ対策で金利の引き上げを行うなか、日本だけが金融緩和政策を継続してきたため、２０２２年以降、記録的なスピードで円安が加速している。

主要国の消費者物価指数（ＣＰＩ）を見ると、高い順に、イギリス７・66、ＥＵ６・48、アメリカ４・08、日本３・21だ（図17上）。これには２０２０年２月以降のイギリスのＥＵ離脱（ブレグジット）の影響もあると思われる。

また、世界中がインフレ対策で政策金利を上げたが、日本だけが逆行する形で緩和政策を続けてきた。主要国の政策金利はアメリカが５・50、イギリスが５・25、ＥＵが４・50

だが、日本はマイナス0・10である（**図17中**）。日本の場合、消費者物価指数も低く抑えられているが、政策金利はゼロに貼り付いたままという状況だ。

欧米の政策金利が4・50〜5・50となっているため、当然円が売られて安くなる状況である。2023年には日銀の新総裁に就任した植田和男氏が緩和政策を是正する動きを見せて若干戻ったが、それでも内外の金利差によって、円安傾向に振れやすい状況が続いている。

FRB（連邦準備制度理事会）のジェローム・パウエル議長は、2023年12月の演説で「政策金利は今がピークだろう」と発言した。ということは、「このあと下げる可能性はあるが、上げる可能性は少ない」ということで、そこから1ドル140円ぐらいまで円高が進んだ。しかし、大きな流れとして、日米に金利差がある限り、円は安くなるだろう。

日本国民は長い間給料が上がらないことに加え、円安で物価だけが上昇し、庶民の暮らしは厳しくなる一方である。また、日本の国力低下により、若干の金利上昇程度では円安から大幅な円高に転換する可能性は小さい。政府や日銀がこのまま何の対策も打たなければ、今後も円安の悪影響が継続することになるだろう（**図17下**）。

2024年3月、就任1年目を迎えた日銀の植田和男総裁が約17年ぶりの利上げを決め、11年間に及ぶ異次元の金融緩和策を「普通の金融政策」に転換した。さらなる金融正常化

図17　主要国がインフレ対策で金利引き上げを行うなか、日本だけが金融緩和を継続していたため、記録的なスピードで円安が加速

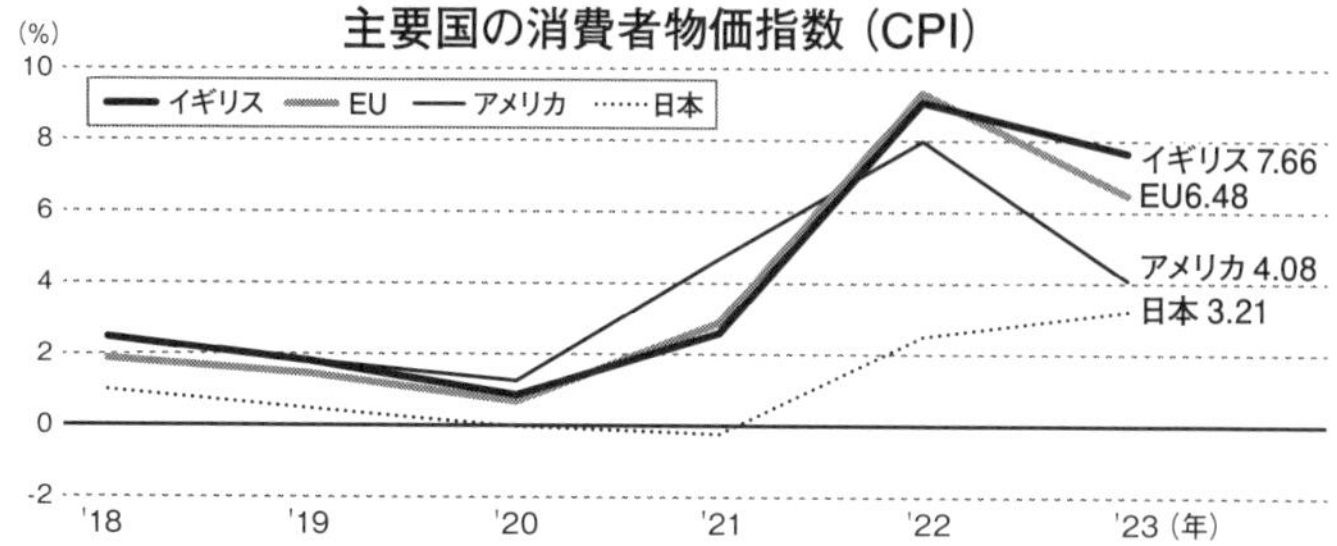

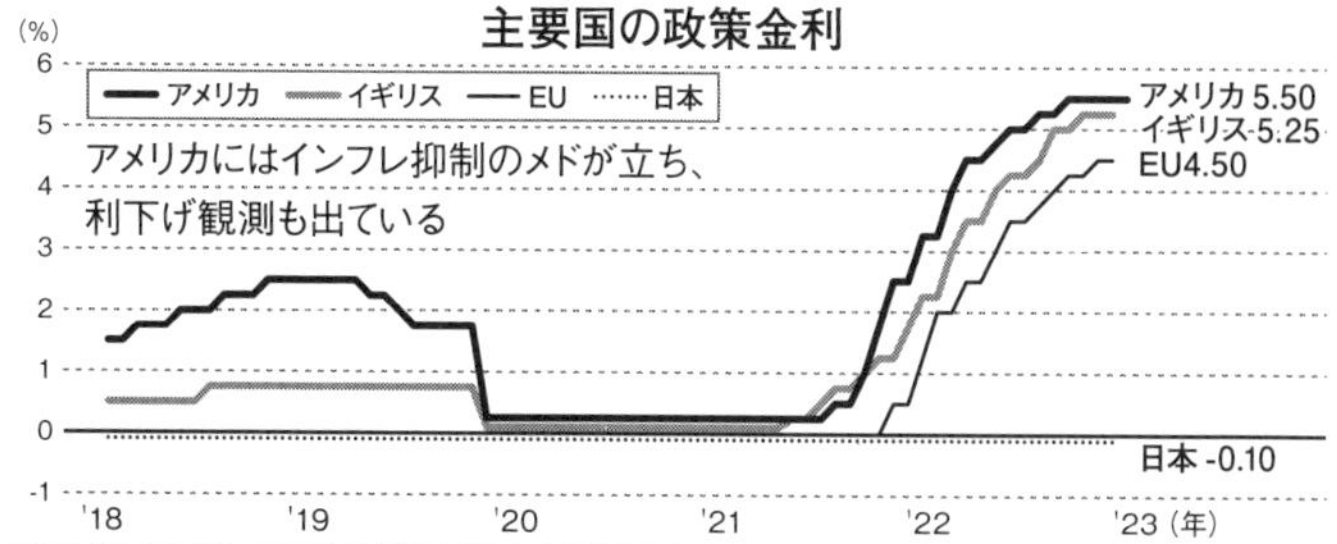

●2023年7月、日銀が長期金利の上限目途を1%にしたことにより、2013年4月から継続してきた「異次元緩和政策」から転換点を迎えた

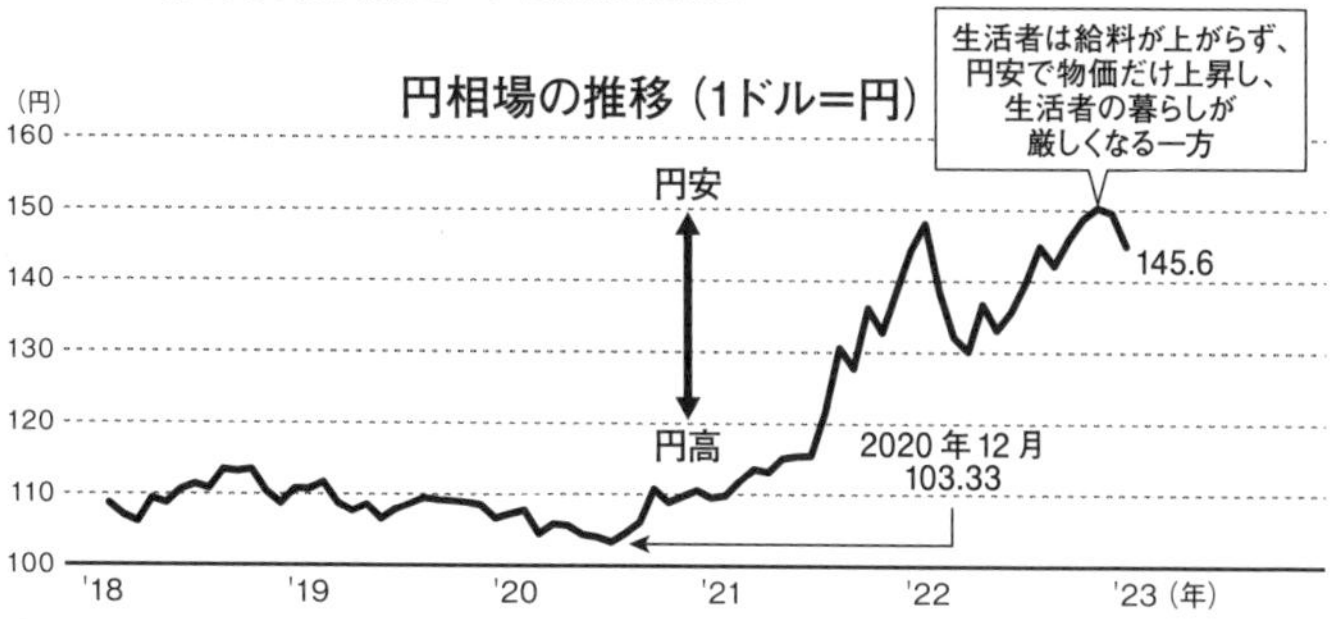

●日本の国力低下で、若干の金利上昇程度では円安から大幅な円高に転換する見込みは小さい

●何もしなければ今後も円安の悪影響が継続する

（出所）IMF、FRB、ECB、BOE、日本銀行

に向けて、植田氏の手腕が問われる。

過剰な不動産投資により、30億人分の空き家を抱える中国

金利上昇により、世界の住宅市場が大きなダメージを被っている。とりわけ深刻な状況にある中国は、過剰な不動産投資により、30億人分の空き家を抱えていると言われている。世界の不動産市況は軒並み過熱状態だ。不動産指数は、チューリッヒ（1・71）、東京（1・65）をはじめ、マイアミ（1・38）、ミュンヘン（1・35）、香港（1・24）、ジュネーブ（1・13）など、割高になっている都市が増えている（**図18上**）。

また、大半の市場で、住宅ローン金利の平均が2021年から3倍近くに跳ね上がっている。そのため、借入費用が大きく上昇しているのだ。また、世界中の住宅市場が金利上昇で大きなダメージを被っている。不動産はやはり、世界経済の不安定要因の最たるものと言えるだろう。

とりわけ深刻な状況にある中国の不動産問題は、おそらく解決が難しい。私は、中国は自力では解決できないと考えている。国家統計局元副局長の賀鏗《ホークン》氏は、「中国には30億人が

図18　金利上昇により世界の住宅市場がダメージを被っているが、中国は過剰な不動産投資により30億人分の空き家を抱える

世界主要都市の不動産市況（指数）

■加熱（>1.5）　■割高（0.5〜1.5）　□適正水準（-0.5〜0.5）

北米	
マイアミ	1.38
トロント	1.21
ロサンゼルス	1.03
バンクーバー	0.81
ニューヨーク	0.47
ボストン	0.34
サンフランシスコ	0.27

アジア太平洋	
東京	1.65
香港	1.24
シドニー	0.65
シンガポール	0.47

欧州	
チューリッヒ	1.71
ミュンヘン	1.35
ジュネーブ	1.13
ロンドン	0.98
アムステルダム	0.80
パリ	0.73
ミラノ	0.49
マドリード	0.46
ワルシャワ	-0.28

その他	
ドバイ	0.14
サンパウロ	0.09

●大半の市場で住宅ローン金利が2021年の水準から平均すると3倍近く跳ね上がり、借入費用が大きく上昇

●世界中の住宅市場が金利上昇で大きなダメージを被っている

中国の不動産問題

中国には30億人が住めるほどの空き家があるかもしれない
この試算は極端だが、中国の14億人の人口でさえ、そのすべてを埋めることはできない

国家統計局・元副局長
賀鏗

●急速な経済成長の柱となってきた不動産セクターだが、住宅の供給過剰で借り手がいなくなっており、今やゴーストタウンを意味する「鬼城（きじょう）」と呼ばれる空き家問題が発生

●中国が日欧米と異なるのは、銀行が介在していないことであり、世界最大の資産運用会社ブラックロックCEOのラリー・フィンクをサービサーとして呼んできて債権回収を依頼すれば解決を図ることも可能

（出所）上／UBSグローバル不動産指数、下／「週刊ポスト」（小学館）2023/12/5大前研一記事

住めるほどの空き家があるかもしれない。14億人の人口では埋めきれない」と述べているほどだ（**図18下**）。

中国において急速な経済成長の柱となってきた不動産セクターだが、住宅の供給過剰で借り手がいなくなっており、今やゴーストタウンを意味する「鬼城」と呼ばれる空き家問題が発生している。

中国の事情が日欧米と異なるのは、不動産取引に銀行が介在していないことである。そこで私の解決策はこうだ。いわゆる「サービサー」（民間の債権回収業者）の業務を担うブラックロックＣＥＯのラリー・フィンク氏を招聘して、２０００兆円の金融負債を２００兆円、つまり10分1で買い取ってもらうのである。そうして30年ほどかけて何とか物になるものから直していく。世界的な投資会社であるＫＫＲ（コールバーグ・クラビス・ロバーツ）やブラックロックは、このぐらいのものを平気で抱え込む力を持っている。

日本もバブル崩壊後の１９９０年代には、海外からサービサーがたくさんやって来た。そして〝ハゲタカ〟同然に担保物件を買い叩いていったが、それでバブルは収まったのである。問題は中国にこういう発想がないことだ。それが問題解決を難しくしている。

この中国の不動産問題の解決については、不動産業界だけの問題ではなく、現在の習近平政権の成り立ちや性格から理解する必要があるため、「第4章　中国の最新動向——孤立化する習近平のジレンマ」にて、改めて詳しく解説することとする。

企業業績は、回復する業種と減速する業種で明暗が分かれる

2023年は企業業績が回復し始めた一方で、業種による〝明暗〟がはっきりしてきた。世界の企業業績を見ると、業績の改善幅が大きかった業界と、逆にマイナス幅が大きかった業界がくっきり分かれていることが見てとれる（図19上）。

具体的には、金利上昇で利ざやが改善した金融業や、生産が正常化した自動車業界が好調である。その他にも、小売業界、サービス業界、情報通信業界などが回復した。個別企業としては、ユニバー(ドイツ)、コムキャスト（アメリカ)、メタ（アメリカ)、BP（イギリス)、アマゾン（アメリカ）などで業績が改善している（図19下)。日本企業はトヨタ自動車、韓国企業は韓国電力なども同様だ。

その一方で、中国経済の減速により、世界の製造業の業績は悪化し、スマートフォンや半導体が不振であった。また、設備投資需要も低調だ。具体的には、電機業界、化学業界、素材エネルギー業界、輸送業界、医療・医薬品業界などが落ち込んでいる。

図19　世界企業の業績は、金融、小売、情報通信などの業績が回復する一方、中国経済の減速により製造業が不振に陥った

世界企業の業績
(2023年7-9月期)

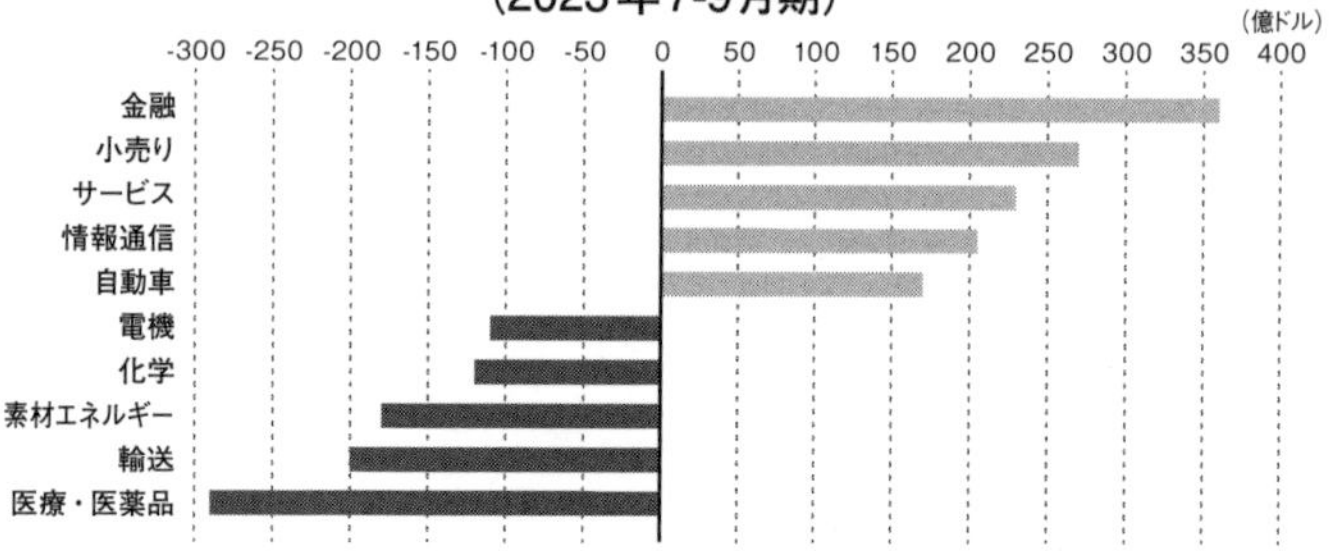

●金利上昇で利ざやが改善した金融や、生産が正常化した自動車が好調
●中国経済の減速で世界の製造業の業績が悪化、スマートフォンや半導体が不振で、設備投資需要も低調

企業業績の明暗
(億ドル、2023年7-9月期、前年同期比)

最終損益の改善額上位

順位	会社名	改善額	主な事業
1	ユニパー(独)	285	電力
2	コムキャスト(米)	86	メディア
3	メタ(米)	71	情報技術
4	BP(英)	70	石油
5	アマゾン(米)	70	ネット販売
6	アリババ(中)	68	ネット販売
7	アルファベット(米)	57	情報技術
8	トヨタ自動車(日)	57	自動車
9	CVSヘルス(米)	56	ヘルスケア
10	韓国電力(韓)	50	電力

最終損益の悪化額上位

順位	会社名	悪化額	主な事業
1	ソフトバンクG(日)	-283	投資・通信
2	ファイザー(米)	-110	医薬品
3	グラクソ・スミスクライン(英)	-108	医薬品
4	エクソンモービル(米)	-105	石油
5	バークシャー・ハサウェイ(米)	-99	投資
6	サウジアラムコ(サウジ)	-86	石油
7	APモーラ・マースク(デンマーク)	-83	海運
8	エクイノール(ノルウェー)	-68	石油
9	フォータム(フィンランド)	-59	電力
10	スリーエム(米)	-59	工業製品

(出所)日本経済新聞

業績悪化のチャンピオンは、日本のソフトバンクグループである。最終損益がマイナス283億ドル、すなわち約3兆円の赤字である。これは投資先であるシェアオフィス会社「WeWork」の経営破綻が大きい。

また、コロナ対策で大きな利益をあげたファイザー（アメリカ）やグラクソ・スミスクライン（イギリス）などの製薬会社が、今度はコロナ禍の収束による反動で、マイナスになっている。

米中対立を背景に、増加する東南アジアへの対外投資

米中対立を背景に、両国との関係を等距離に保つ〝緩衝地帯〟として、東南アジア諸国への対外投資が増加している。グラフからも、2020年代に入ってから東南アジアへの対外直接投資が急増していることが見て取れる（図20上）。

東南アジアへの米中の投資が急増している理由には次のような背景がある。

まず、アメリカ企業はサプライチェーンの脱中国化を進めるために、調達先を中国からアメリカの同盟国・友好国へ移転する「フレンドショアリング」を進めている。一方の中

国企業も生産拠点を第三国に移転させることで欧米などへの輸出をスムーズに進めたいという狙いがあるのだ。

そして、東南アジア諸国は製造業が集積する中国と距離が近く、サプライチェーンの再構築がしやすい。また、政治や社会も一部の国を除いて安定しており、進出先として理想的だ。加えて6億人を超える人口が生む内需も魅力的である。

東南アジアは、アメリカと中国の覇権争いを背景に、両国との関係を等距離に保つ緩衝地帯として投資を集めているのである。次いで中南米、中国、インド、アフリカと続く。

かつては東南アジア投資といえば、日本がチャンピオンだったが、現在はアメリカと中国が中心で影が薄くなっている（図20下）。中国も自国経済がうまくいかず、ベトナム投資にかなり積極的に向かい始めている。一方で日本は投資のほうも冷えている。日本の現状は足元がスリップしているのである。

図20　米中対立を背景に、両国との関係を等距離に保つ"緩衝地帯"として、東南アジアへの対外投資が増加している

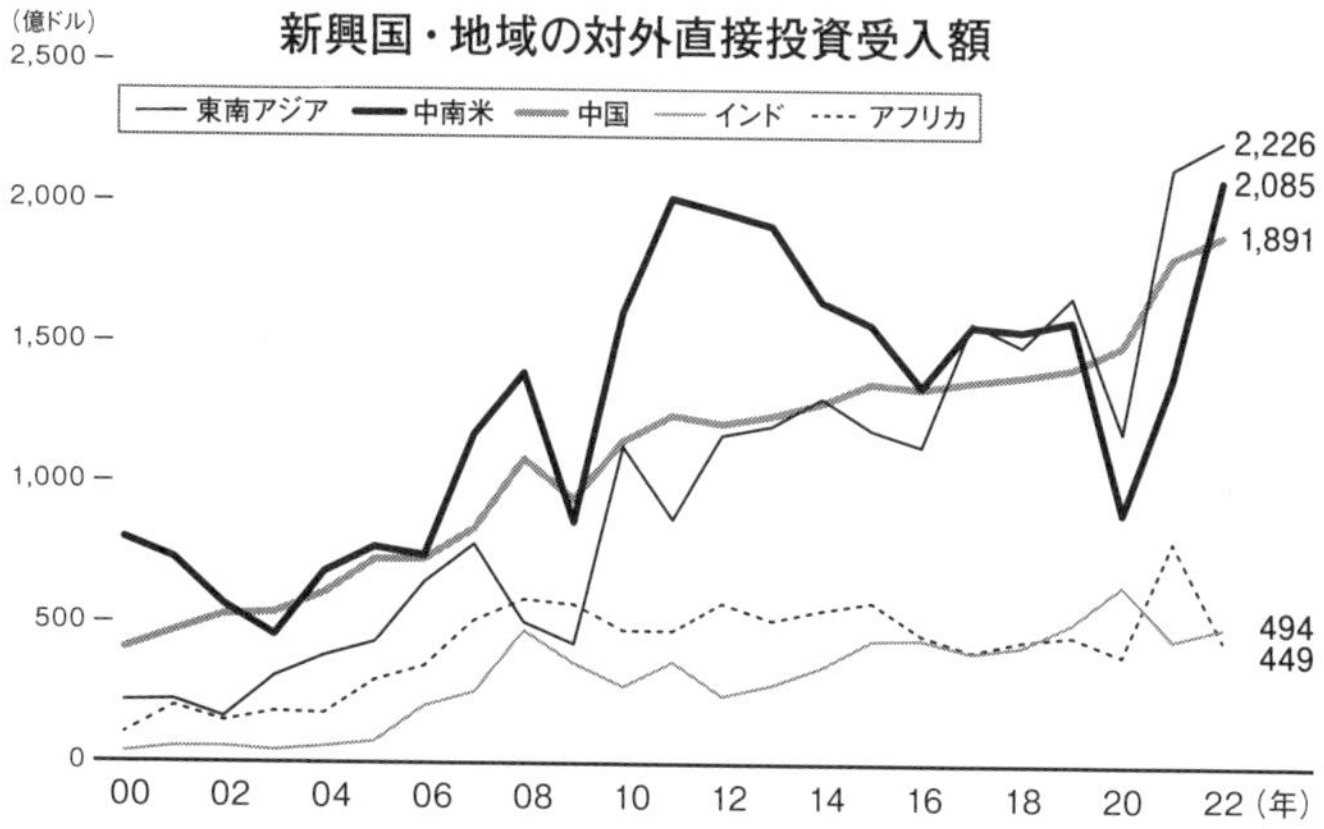

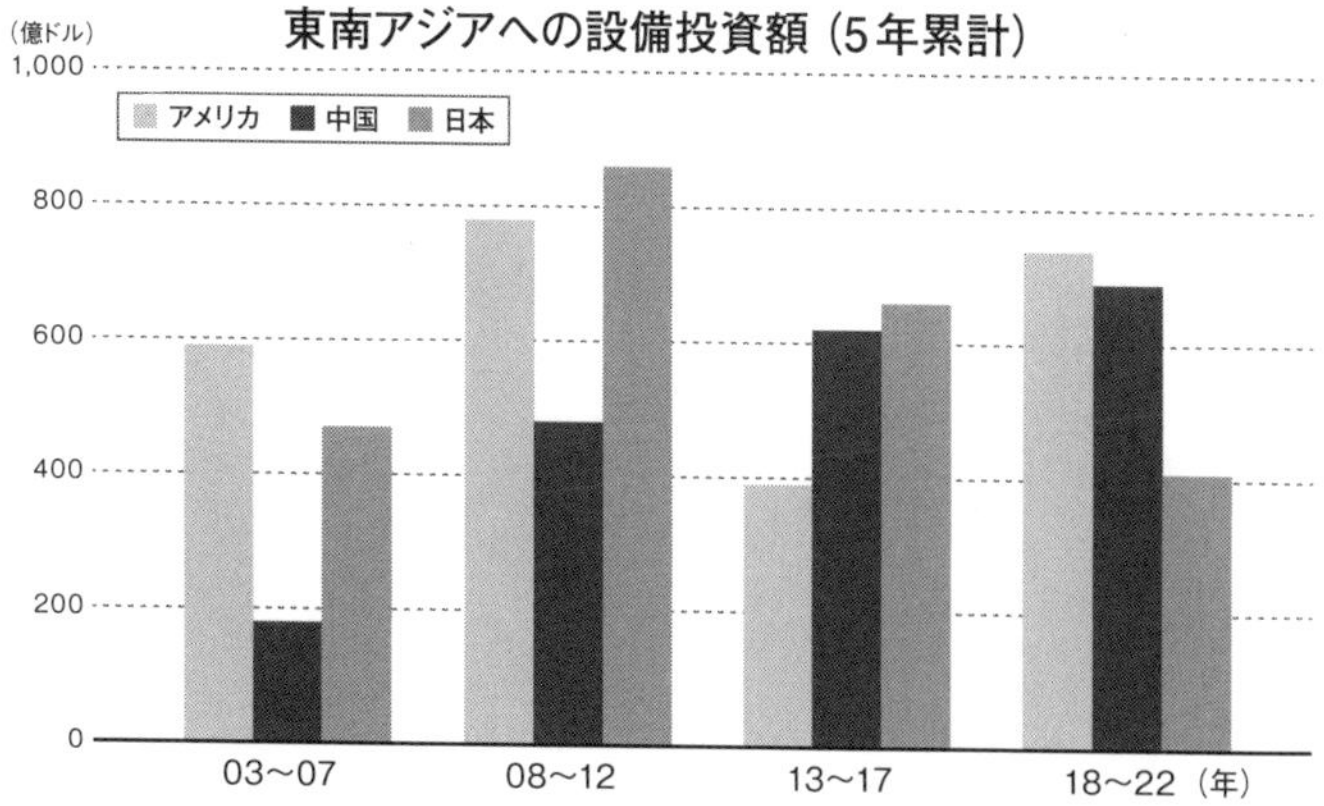

- 2020年代に入り、東南アジアへの対外直接投資が急増している
- アメリカと中国の覇権争いを背景に、両国との関係を等距離に保つ「緩衝地帯」として東南アジアが投資を集めている
- 米中の投資が拮抗、かつて同地域での投資を主導してきた日本の影は薄くなっている

（出所）UNCTAD「WORLD INVESTMENT REPORT 2023」

第2章をもっと深く理解するためのキーワード

サブサハラ

アフリカ州（アフリカ大陸とその周辺島嶼）のうち、サハラ以南の呼称。アフリカのうち、北アフリカを除く範囲を指す（ただし、国際連合の定義では、スーダンは北アフリカとされる）。面積では広大なアフリカ大陸の8割以上を占めている。

ジェローム・パウエル（1953～）

アメリカのＦＲＢ第16代議長。ジョージタウン大学で法律を学び、弁護士として活躍。投資ファンドの共同経営者や財務省幹部を経て、２０１２年にＦＲＢの理事に就任。２０１７年11月、ドナルド・トランプ大統領（当時）からＦＲＢ議長に指名される。

サービサー

債権の管理・回収を行う民間の専門業者。日本では「債権管理回収業に関する特別措置法（サービサー法）」という法律に基づき、金融機関等から、債権の管理や回収に関して委託を受けるか、または債権を譲り受けて、金融機関等の代わりに債権を回収する。

ブラックロック

アメリカのニューヨークに本社を置く世界最大の資産運用会社。2021年末における運用資産残高は10兆ドルと、日本のGDPの2倍に相当する。世界30カ国・70のオフィスに、合計1万8000名超の従業員が在籍している。ファンドを通じて主要な上場企業の大株主となっており、S&P500種株価指数を構成する企業の80%以上において、持ち株比率の上位3位までに入っている。

ラリー・フィンク（1952～）

ブラックロックの共同創業者兼CEO。1988年にブラックロックを設立して以来、金融業界における革新的なリーダーとしての地位を確立。リスク管理と投資戦略の専門家として知られ、ブラックロックの成長を牽引。多くの機関投資家や個人投資家にサービスを提供し、資産運用の分野で多大な影響を与えている。

KKR（コールバーグ・クラビス・ロバーツ）

Kohlberg Kravis Roberts & Co. L.P. の略称。アメリカのニューヨークを拠点とする国際的投資会社。未公開株、エネルギー、インフラストラクチャー、不動産、クレジット、ヘッジファンドを戦略的パートナーとともに運営しているLBO（レバレッジ・バイアウト）の先駆者。

いわゆるＰＥ（プライベート・エクイティ）ファンドの元祖的存在。

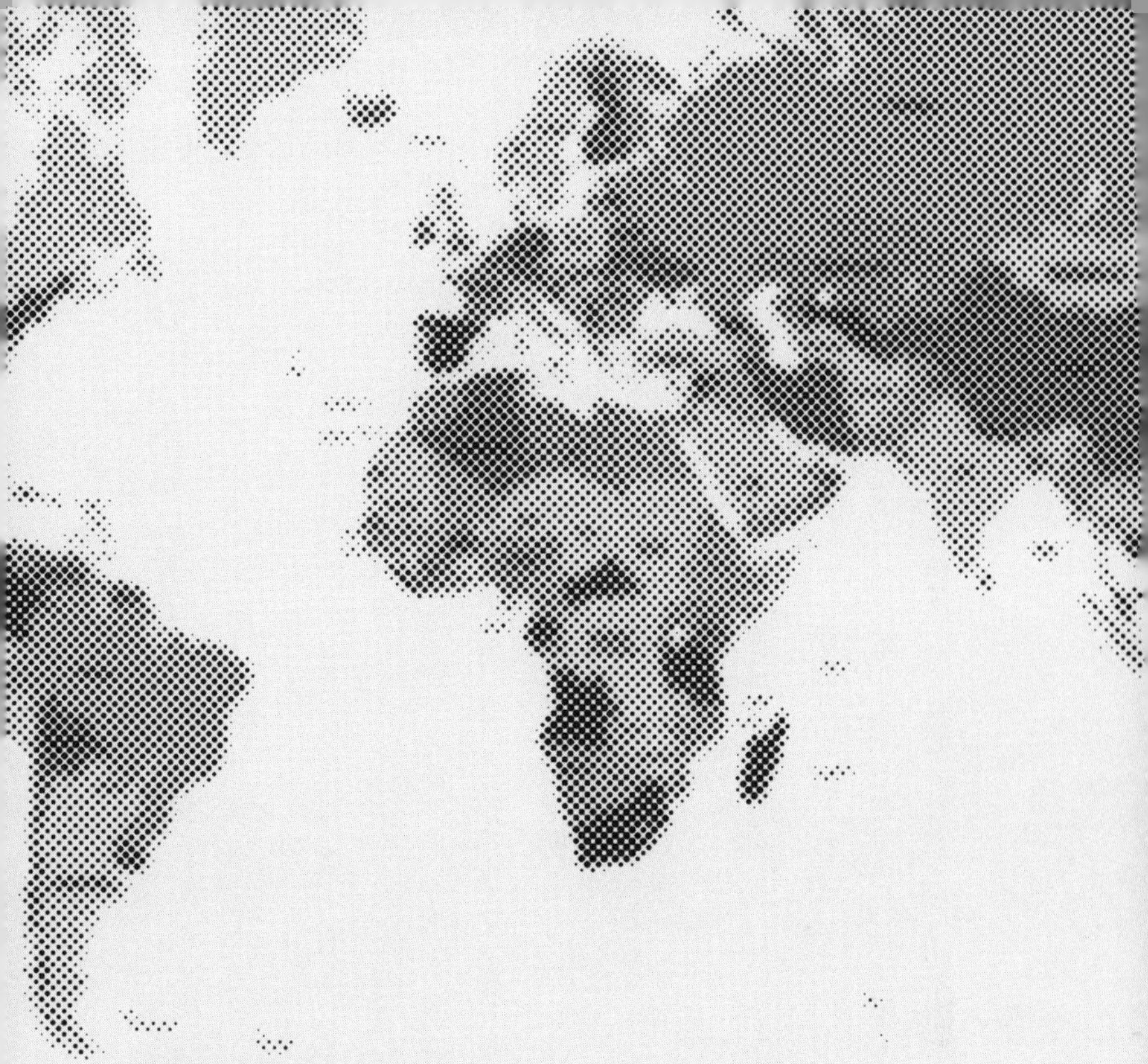

第3章

凋落する日本

GDP世界第4位からの
回復をするための処方せん

GDPの推移に見る日本の没落

第1章で述べたように、日本は2023年にGDPでドイツに抜かれて、世界4位に転落した(**図21上**)。そして、数年内にインドにも抜かれると予測されている。

ドイツの人口は、2022年に112万人増加して、8440万人となった。移民は正味で146万人に達し、前年の32万9000人から急増している。主因はウクライナからの避難民の流入である。カナダも外国から移民を積極的に受け入れている。

日本はご存じのとおり、人口が減少しており、2021年10月から2022年9月までに55万6000人の減少となっている。いずれにせよ、人口約8000万人のドイツに約1億2000万人の日本がGDPで抜かれるというのは、よほどのことだ。

一人当たりGDPでは、日本は2000年にアメリカを抜いてトップだったが、2023年になると、イタリアにも抜かれてG7の中で最下位となった(**図21中**)。これは、2000年には約3倍の差があった韓国や台湾と同じレベルだ(**図21下**)。しかも、給料水準ではすでに抜かれている。日本がGDPも給料水準も横ばいで推移しているからである。

図21　日本のGDPはドイツに抜かれて世界第4位に転落、一人当たりGDPではG7で最下位と、没落に突き進んでいる

日本とドイツの名目GDP（兆ドル）

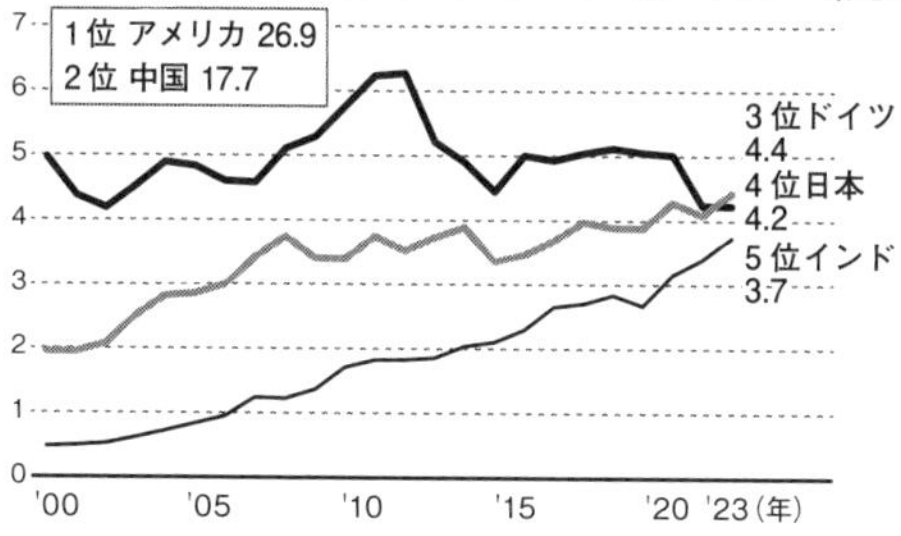

●ドイツの人口は、2022年は112万人増加、8440万人となった

●移民はネットベースで146万人に達し、前年の32万9000人から急増。ウクライナからの避難民流入が主因

G7の一人当たりGDPの変化（万ドル）

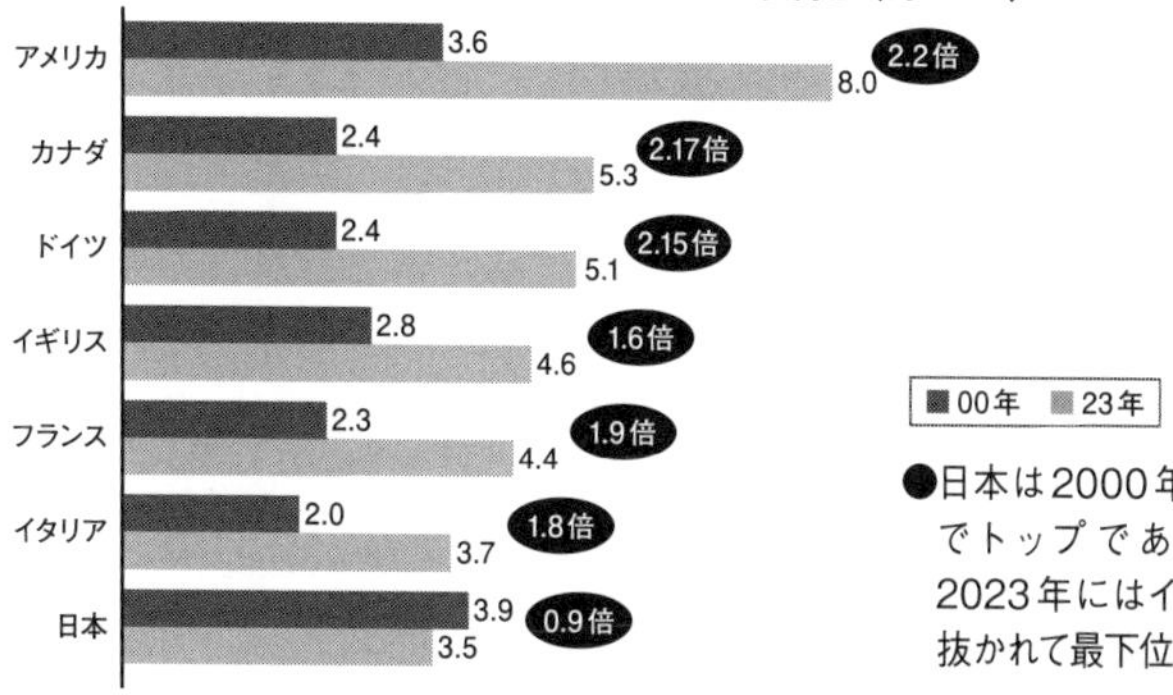

●日本は2000年にはG7でトップであったが、2023年にはイタリアに抜かれて最下位に沈んだ

日本と韓国・台湾の一人当たりGDP（万ドル）

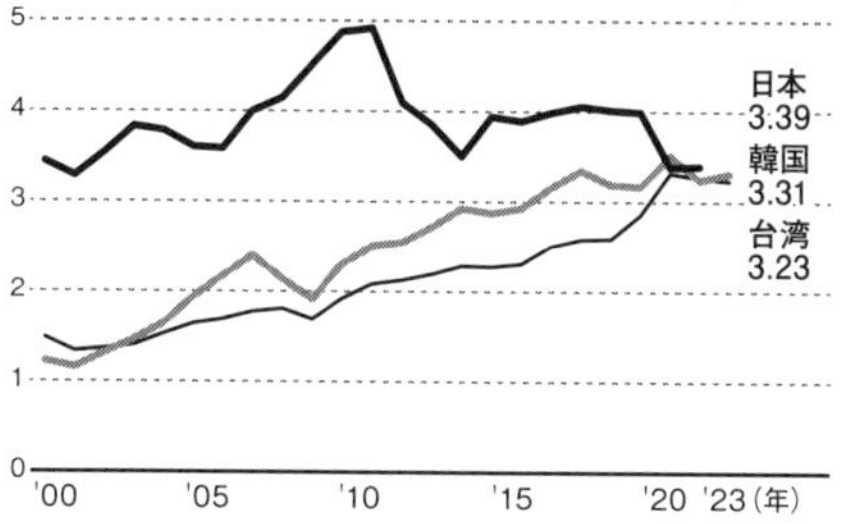

●2000年に約3倍の差があった一人当たりGDPは、2023年にはほぼ同水準にまで差が縮小

（出所）IMF「World Economic Outlook database : October 2023」

「G7／先進国」から凋落する日本の現状

現在の日本はもはや、「G7」や「先進国」と呼んでいいのか、微妙な立ち位置である。2023年はそれがはっきりした年だった。一人当たりGDPは韓国や台湾と同水準であるし、国債の格付けも先進国では最低のA＋（プラス）で中国やサウジアラビアよりも下である。

図22に凋落する日本が掲げる問題をまとめてみた。根幹にある問題は人口減少だが、企業のガバナンスや人材の質も大きく影響している。さらに経済問題、2023年12月になって噴き出した政治問題、それからAI時代の教育問題がある。

高校二年生の段階で「文系か、理系か」を選択させているのは、世界では日本だけだ。しかも3分の2の高校生が文系に進むという。理由は受験が楽だからだ。工業化社会をつくることに一生懸命だった日本の文部科学省は自身の間違いに気づいていない。そして21世紀半ばに役に立たないと思われる教科をいまだに一生懸命教えている。日本の衰退を加速しているのは間違いなく文科省だ。今の教育では、21世紀の競争力のある人間をつくることは不可能だろう。

図22　**今や日本は「G7／先進国」と呼んでいいのか、微妙な立ち位置まで凋落した**

●世界情勢に関係なく、日本自らが抱えた問題に足をとられ、経済低迷・長期衰退の道へと向かっている

●日本の政府・政治家が、これまで日本の本質的な問題を放置したツケが、経済没落・長期衰退に向かうリスクを高めている

●世界的に見て、いまや日本は「G7／先進国」と呼んでいいのか、世界から疑問視され始めている
一人当たりGDPは韓国、台湾と同水準
国債の格付けも先進国では最低のA+、中国、サウジアラビアよりも下
世界で活躍できる人材を輩出していない
高度人材も呼び込めていない

●世界的地位低下に加え、AI普及（第四の波）が、日本の長期衰退リスクに拍車をかける

（出所）BBT大学総合研究所

ＡＩが普及する「第四の波」に移行するにあたって、日本は人材育成がまったくできていない。世界で活躍できる人材を輩出していないのだ。「海外から高度人材を呼び込みたい」と政府は言っているが、日本人が世界で活躍できるようになって、初めて海外からそのような人材が日本にやって来て活躍できるのだ。そうした因果関係が政府にはわかっていない。

4年目を迎えるも、迷走を続ける岸田政権

２０２４年11月に発足4年目を迎える岸田文雄政権の数少ない業績として、「安保関連３文書改定」が挙げられる（図23上）。安保関連３文書とは、「国家安全保障戦略」「国家防衛戦略」「防衛力整備計画」である。実際は当時防衛大臣だった小野寺五典《いつのり》氏のおかげで実現できたわけだが、これによって反撃能力の保有、アメリカのトマホークミサイルなどの長距離ミサイルの導入、２０２７年度の防衛関連費をＧＤＰ比２％に倍増することなどが可能になった。

しかし、実際問題として、日本に資金はあっても物が届いていない。アメリカが世界中

図23　**3年目を迎える岸田政権の業績には「安保関連3文書改定」が挙げられるが、その他の政策は迷走している**

安保関連3文書改定の歴史的意義

安保3文書の改訂	
国家安全保障戦略	外交・安全保障の最上位の指針 経済安保・サイバーにも戦略的指針
国家防衛戦略	日本が目指すべき防衛目標を設定 その達成に向けた方法と手段を示す
防衛力整備計画	防衛費総額や装備品の整備規模を規定 計画の期間を5年から10年に延長

主なポイント

- 反撃能力の保有の決定
- 米トマホークミサイルなど長距離ミサイルの導入
- 2027年度の防衛関連費をGDP比2%に倍増

歴史的意義

- 「反撃能力」の保有を明記した
- 「専守防衛（という空念仏）」と半世紀以上続いた「防衛費のGDP1%枠」を撤廃した

迷走する岸田政権の主な政策

施　策	問題点
新しい資本主義	分配を訴える、資本主義とは反対の発想
賃上げ要請	国内の雇用を減らす格差拡大策
資産所得倍増計画	預貯金や株、不動産などを持っていない庶民は蚊帳の外
デジタル田園都市構想	デジタルは都市に集まり、地方はアナログで栄えるのに発想が反対
異次元の少子化対策	少子化の本質とズレたバラマキ施策
大型減税	バラマキ施策の典型
アメリカ追従外交	中国・ロシアなど近隣国との緊張を高める
大学10兆円ファンド	ノーベル賞を受賞できる研究輩出が目的

迷走する政策

- 信念も理念もない、思い付きの政策
- 的外れ・意味がない政策
- 責められたら相手のことを「聞く力」

（出所）NHKほか各種報道・資料よりBBT大学総合研究所が作成

から武器を受注しており、台湾でも5年前に発注した武器が届いていない状況だ。ウクライナやイスラエルなど優先すべき国もある。中国の習近平《しゅうきんぺい》政権の三期目の最後となる2028年、前年の11月には届くと言われているが、それでは台湾有事の準備に間に合わない。

岸田政権における、その他の政策は軒並み迷走気味である（**図23下**）。「新しい資本主義」は、分配を訴える、資本主義とは反対の発想であるし、「賃上げ要請」も国内の雇用を減らす格差拡大策だ。「資産所得倍増計画」も預貯金や株、不動産などを持っていない庶民は蚊帳の外である。「デジタル田園都市構想」は、元々デジタルは都市に集まり、地方は観光をはじめとするアナログで栄えるものなので、発想が逆である。「異次元の少子化対策」や「大型減税」はバラマキの典型だ。いわゆるアベクロバズーカが10年間も不発に終わった反省、総括をまったくしていない。「米国追従外交」は中国・ロシアなど近隣国との緊張を高めるだけだし、「大学10兆円ファンド」はノーベル賞を受賞できる研究者の輩出が目的とされているが、こんなものは鉛筆があればいいだろう。湯川秀樹の中間子理論も紙に手書きで書いてあるだけだ。10兆円なんてとんでもない話である。長岡半太郎は東北大学で原子模型をつくった人だが、それもあってか東北大学が10兆円ファンドの対象になっている。ただ、彼はあまりにも研究に没頭したために、日露戦争が始まったことを知らなかったぐらいの人であったことを忘れてはならない。以上のことから、これらの政策は、信念も理念もない思いつきの政策の乱立である。七夕の短冊みたいに願いを竹にぶら下げただけだ。

使われている言葉から言うと、「竹中平蔵氏がまだ政権にいるのか?」という感じである。「異次元」や「骨太」などは竹中氏の言葉だが、まだそういうものが散見される。色々な人の意見を聞いているうちに、岸田政権は迷走をはじめてしまったのではないか。普通なら内閣総辞職で総選挙に向かうパターンだ。

パーティー券収入の不記載問題で揺れる自民党

政治資金問題、とくに安倍派幹部のパーティー券収入の政治資金収支報告書不記載問題で、岸田政権は混迷を極めている。

2023年の年末に起こった「政治資金問題」の構図をつくり出したのは、首相経験者でもある森喜朗氏だ。そして、これを完成させたのが安倍派である(図24上)。

東京地検は50人体制で安倍派そのものの解体まで追い込もうとしているが、2020年当時の安倍政権による検察人事の介入問題もあり、まさに〝意趣返し〟というかたちだ。

問題は、パーティー券を売った人たちへの一部還流、つまり「キックバック」があるということだ。キックバックが数億円規模になっている人物が何人かいるのだが、何に使ったのかが官房機密費と同じでわからない。税務当局はこれを問題視し、検察がメスを入れている。

疑惑が浮上している安倍派幹部を図24下に挙げた。この中で不思議なのは世耕弘成氏だ。彼は資産家の家に生まれているので、本来はこんなことをやる必要はないはずである。自分に金があるかどうかに関係なく、いわゆる〝装置〟や〝仕掛け〟として、安倍派の中でパーティー収入の還流などをしていたのだろう。そして、参議院の幹事長を辞職することになった。

今回の事件によって、松野博一氏（官房長官）、西村康稔氏（経済産業相）、萩生田光一氏（党政調会長）、高木毅氏（党国会対策委員長）が交代となり、2024年4月には安倍派の座長である塩谷立氏と世耕氏に離党勧告が、西村氏と高木氏に党員資格の停止、松野氏と萩生田氏に党の役職停止という処分が下った。自民党から安倍派幹部が一掃された格好だ。彼らを含め、処分された自民党議員は36名にも上った。追い込まれた岸田首相による〝自爆テロ〟に近い展開を見せている。

図24　政治資金問題、特に安倍派幹部のパーティー券収入の政治資金収支報告書不記載問題で、岸田政権が混迷を極めている

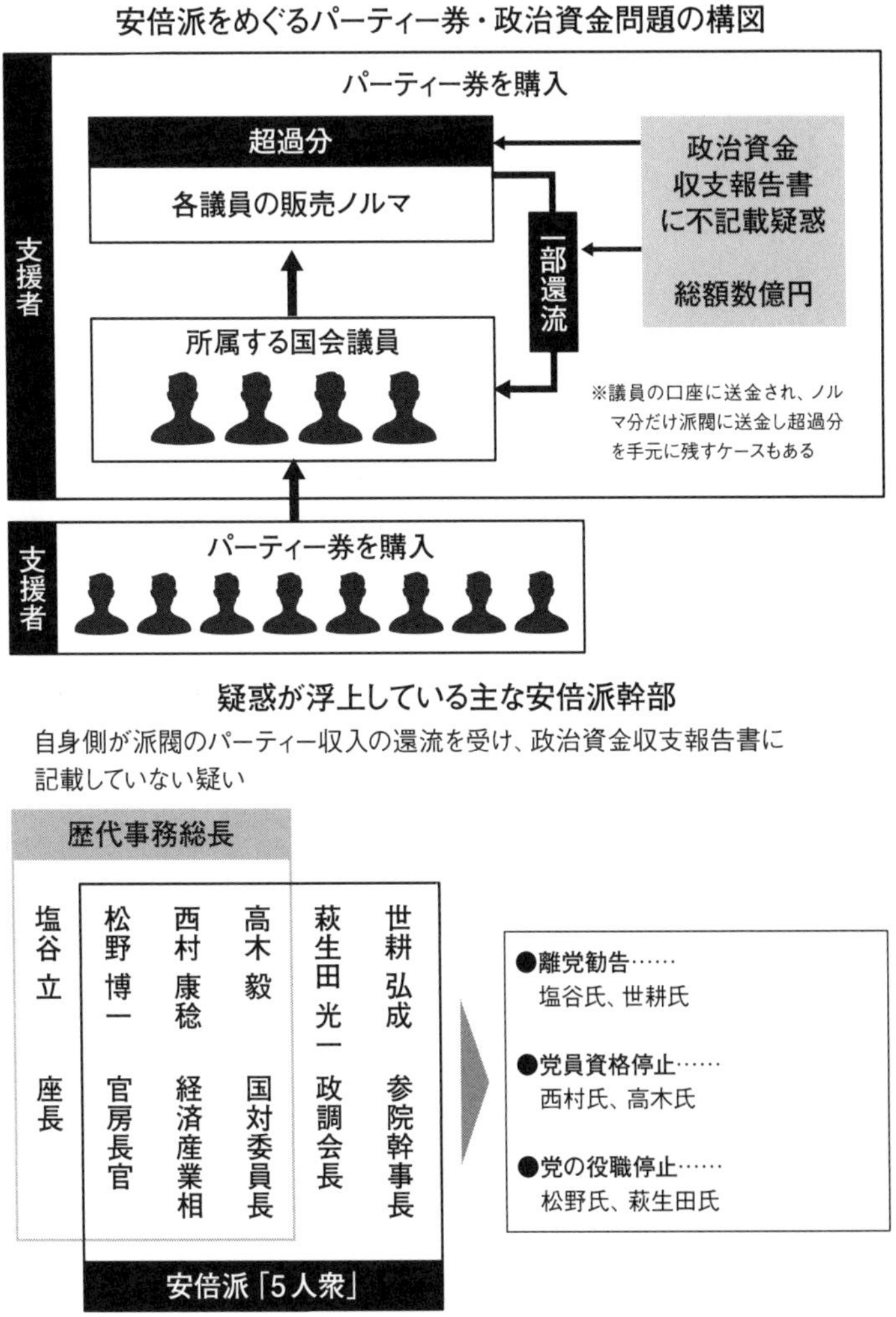

（出所）上／産経新聞、下／日本経済新聞、朝日新聞

政治が取り組んでこなかった日本の本質的問題

日本の政治および政治家が日本の本質的問題の解決に取り組んでこなかったことが、現在の日本衰退の要因となっていることは明らかだ（図25）。

政治家はこれまで日本の本質的問題の解決に取り組んでこなかった。そこには〝選挙互助会〟のような仕組みがある。

そもそもなぜ旧統一教会が重要なのか。

私が1995年に東京都知事選に立候補したとき、1日で1万8000枚ものポスターを貼った。そうしたら石原慎太郎氏が「大前は統一教会だ」と自民党の勉強会で言った。そこで私が彼のところへ行って、「何でそんなことを言ったのか」と問い詰めたら、「俺も最初大田区で出馬したときは、誰も助けてくれなかったから、あの人たちの力を借りた。政党の応援がないところから出てきたあなたが1日でポスターを貼ったということで、旧統一教会の力に違いないと言ったんだ。決めつけたわけじゃない」と弁明した。

そこが私と石原氏の違うところである。私は経営コンサルタントなので、この問題を純粋にロジスティクスの問題として捉えていた。そうして「赤帽」の組織を使ってたったの

図25　政治・政治家が日本の本質的問題の解決に取り組んでこなかったことが、日本衰退の要因となっている

政治の現状

●政権維持が目的の自民党（選挙互助会）
国民が支持すると見た野党の政策をことごとく取り込み、政権を維持
改憲以外に一貫した政策も主義主張もない

●時代錯誤の旧い価値観、古い法制度に固執する自民党（特に保守勢力）
工業化社会・20世紀型の政策
戸籍制度・家父長制
移民に消極的

●問題の本質に目を向けず、思いつきのバラマキ政策に終始する岸田政権
10兆円行進曲
子ども予算、大学ファンド、給付金・減税etc

●21世紀に必要な政策がとられていない
AI・スマホ革命（第四の波）に乗り遅れた
世界に通用する人材を輩出できていない

現在の政治の何が問題か

●政党が、21世紀に対応する新たな政策を提案できていない
●日本政府に任せていても、20世紀型の時代錯誤の政策しか出てこない
いまだに文系・理系で分けている
中央政府主導・国土の均衡ある発展
小国でない限り、国民国家としての繁栄は難しい
地域が切磋琢磨・成長し、全体を牽引するしかない
●いまだに内閣法制局が、泥縄式の寄木細工で明治以来の法律を墨守している
生体認証の時代に“印鑑”は不要
法律寿命10年法（サンセット法）が必要ではないか

今後政治に何が求められるか？

●20～30年後の未来を見据えて、そのために必要な人材を育成する
●移民を含めた新たな人材・能力ミックスを進める
全国一律は難しいため、道州別で行う
九州はITアイランドとして、半導体やAI関連の人材を優遇
北海道は、農業と観光に特化した人材を集める、etc

このような未来志向の政策を断行できる新たな政党と政治リーダーが出てくれば、
この国の景色は大きく変わるはず

（出所）「週刊ポスト」（小学館）2023/8/18・25大前研一記事

1日で1万8000枚のポスターを貼ったのだ。もちろん費用はかかったが、旧統一教会の力は借りていない。

もっとも、石原氏の言うこともわかる。事実、自民党には組織がない。公明党には創価学会という組織があるし、共産党も機関紙『赤旗』の読者が助けてくれる。本来であれば、連合とか組合系のほうが望ましいだろう。「自民党の候補者は商店街の人や経営者が応援するじゃないか」と思うかもしれないが、「陰ながら応援します」と言う人間は実際には応援してくれない。私も挨拶回りをしていて何度もそう言われたが、落選の結果を受けて「もう二度と会うものか！」と思った人が何百人もいた。

自民党も、実際にポスターを貼ったり電話をかけたりといった力仕事をするのは旧統一教会である。だからこれは選挙互助会のようなものだ。私は自分で経験したので、間違いなくそう言える。だから旧統一教会に代わるものがないと自民党は選挙の際に非常に困るのだ。

このような政治を変える際に、ぜひ参考にしたいのが北欧諸国である。アイスランドを含めた北欧は、国民が政治の問題を年中議論している。そういう中から、オピニオンリーダー的な人が浮かび上がってくるのだ。

また、投票率の高さも重要である。投票率が高いところは2つのやり方をしている。1

つは、投票に来なかった人を政府が呼びつけて、「なぜ来なかったのか」と問い詰める。シンガポールがまさにそのようなやり方をしている。一方でオーストラリアの場合は罰金だ。罰金を払いたくないために投票率が上がるという仕組みが用意されているのである。こうした手法を日本も参考にするべきだ。

教育の問題も深刻である。すでに述べているように、文科省は今後起きる「AI・スマホ革命（第四の波）」に適応できない人間を量産している。日本政府に任せていても、20世紀の工業化社会のための人材しか生まれてこない。

また、日本では新しい法律がほとんど生まれてこない。その理由は、明治時代の法律がいまだに生きているためだ。「戸籍法」などは最近まで条文がカタカナで書かれていた。新しい法律をつくろうとすると、従来の法律の隙間を縫ってつくらなければならない。これは政治家には不可能だ。政治家は本来立法府の人間だが、法律を作成した経験がある議員はゼロである。やはりプロである内閣法制局の官僚が文書を最終的にまとめないと、法律にならない。従来の法律と齟齬《そご》をきたさないようにする必要があるからだ。

日本では、法律に書かれていないことも横行している。たとえば、ハンコや印鑑は法律上どこにも書かれていない制度だ。生体認証の時代に印鑑をなくすべきかどうかという議論が行われているが、よくよく調べてみると、法律そのものが存在しない。「印鑑証明」は、その人が持っている印鑑を証明するだけである。顔認証や声紋認証が普及すれば、たちまちなくなるだろう。

さらに日本では「私」と国の関係もない。だから1997年の阪神・淡路大震災の際に、役所が焼けて戸籍が失われた際には、死者を特定するのが非常に困難だった。むしろ指紋が残っていた犯罪者の戸籍が最初に回復したくらいだ。指紋の残っていない人は「滋賀県のお姉さんが間違いないと言ってくれた」などで回復するしかなく、確認に非常に手間がかかった。つまり、日本では、国と個人の間はまったくの〝紙一枚〟なのである。そういう状況を是正するべく、法律寿命が10年になる「サンセット法」が必要だ。

移民・難民については、積極的に受け入れることが当然必要となるが、これからは世界のどこから来た人であっても、育てて増やしていくことが政治における最大の課題だと思う。

20～30年後の未来を見据えてそのために必要な人材をつくること。移民を含めて、世界中から人材が来ても明日から働ける国をつくることが重要だ。日本人が外に出て活躍するのと同じ発想である。人材は文科省に任せていては駄目だ。私が経営している「インターナショナル・バカロレア・アオバ」は、スイスに本部がある「国際バカロレア（ＩＢ）」に準拠しており、ＩＢからテストや試験官が来るし、先生の選別もしっかりしている。ただし、大学の設立は文科省の認可を受ける必要があり、色々と苦労した。サイバー系の大学なので図書館は用意してなかったのだが、学校法人の設立法では図書館がなければ駄目だという。生徒1人につき本何冊と決まっている。そこで、私宛に送られてくる本をすべて棚に並べることにした。文科省の人が来て、そこに案内するとOKとのことだった。また、医務室も必要なのだが、副社長の部屋に担架を置いて「これが医務室です」と言うとそれでOKだった。文科省が来る度にそういうものを見せなければならない。運動場は免除してもらった。これも「生徒1人につき何㎡」と決まっているのだが、それを千代田区でやるととんでもない金額になる。

こうして文科省にいじめられながら、グローバルで活躍できる人材をどこよりも多く輩出しているのである。

国債は膨張し、格付けは中国・サウジアラビアより下位に

日本にとって膨張する国債も問題である。異次元緩和によって国債残高の半分以上を日銀が保有する事態となった。

２０２３年時点において、中央銀行が買い込んでいる国債が５８０兆円ある（図26上）。経済評論家の高橋洋一氏に言わせると、「日本銀行は日本のものだから、国債は資産だ」ということになるが、国債はやはり国の債務である。金利が上がって負担が大きくなったときには暴落する可能性があるだろう。

世界主要国の国債格付けランキングを見てもわかるように、日本国債のレーティングはすでに25位だ（図26下）。かつてはＡＡＡ（トリプルＡ）だったのが、今となってはアベノミクスの２０１２年から一気に落ちて25位になっている。中国やサウジアラビアよりも下である。

国債が破綻したら日銀も破綻する。しかもこの問題はいつ起こるのかわからない。元々「禁じ手」と言われていた中央銀行による国債の買い入れである。日本人の多くは預貯金という形で資産を保有し、そうして金融機関が国債を買い、それを日銀が買っている。だから直接日本人が買っているわけではない。国民は自分たちの預けているお金が国債に化けていることを知らない。つまり、国策としては最大の愚策なのである。

日銀が破綻したらどうするのか。私の答えは簡単で、２０００兆円の個人金融資産をパクる、つまり「徳政令」である。おおむねその4分の1に相当する金額５００兆円を突っ込んで日銀を救うのだ。主に、お金を使えずに死んでいく高齢者から奪うかたちになるだ

図26　異次元緩和によって国債残高の半分以上を日銀が保有する事態となり、日本の国債格付けは中国やサウジアラビアより下位に

国債等（短期除く）の保有者内訳（兆円、2000 ～ 2023年度*）

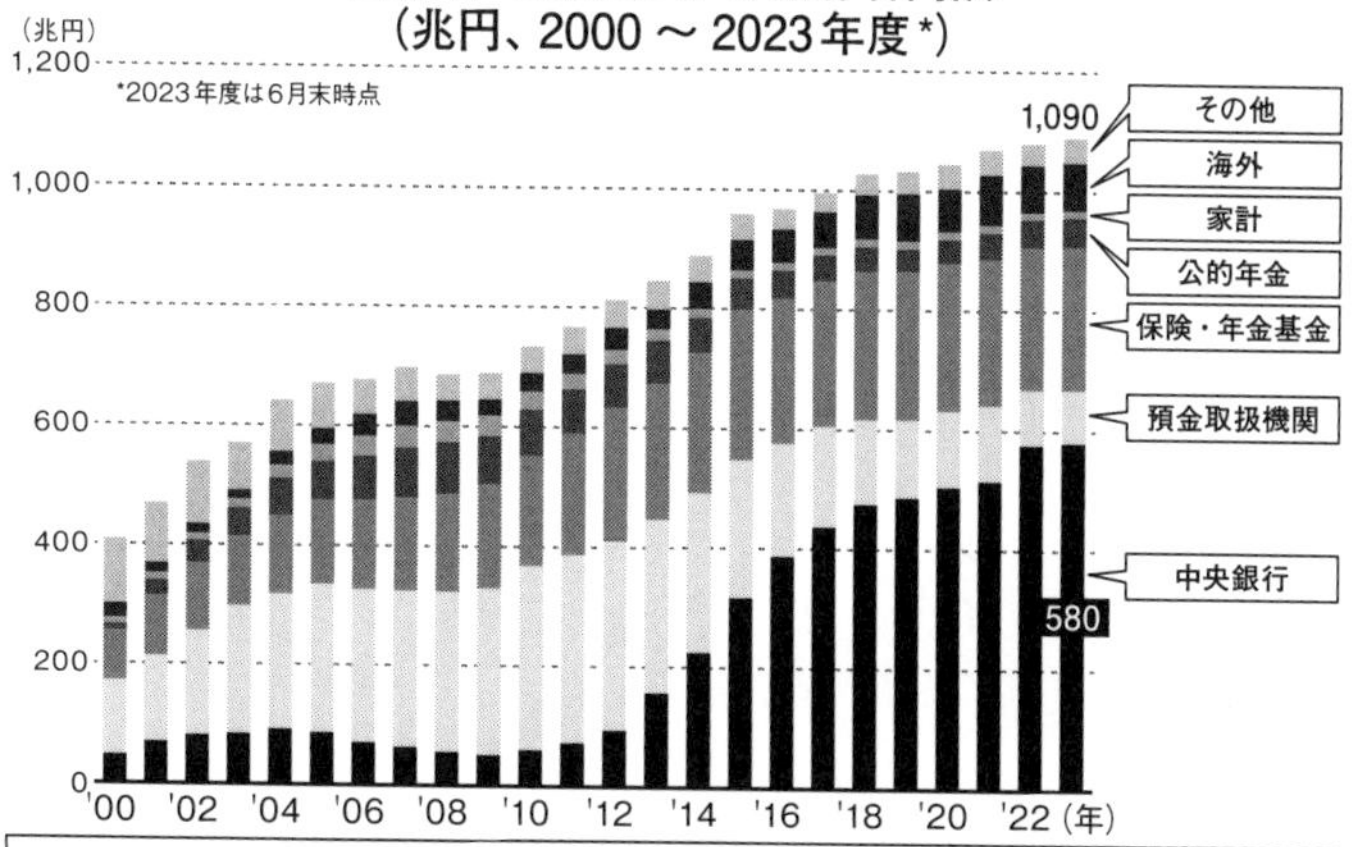

- 日銀は、異次元金融緩和を軌道修正し、欧米同様に金利を引き上げていく必要がある
- 金利を引き上げた場合、国債の発行残高の半分を抱え込んでいる日銀がインプロージョン（内部爆発）を起こす可能性が高まる
- 日銀による財政ファイナンスで、野放図に借金をしてきた政府は、そのとたんに手詰まりとなる
- 異次元金融緩和という麻薬が切れた後の日本は、激痛に苦しむしかない

世界主要国の国債格付けランキング

RANK	国名	ムーディーズ	S&P	フィッチ
1	ドイツ	Aaa	AAA	AAA
1	ルクセンブルク	Aaa	AAA	AAA
1	オランダ	Aaa	AAA	AAA
1	オーストラリア	Aaa	AAA	AAA
1	スイス	Aaa	AAA	AAA
1	デンマーク	Aaa	AAA	AAA
1	スウェーデン	Aaa	AAA	AAA
1	ノルウェー	Aaa	AAA	AAA
1	シンガポール	Aaa	AAA	AAA
10	カナダ	Aaa	AAA	AA+
11	ニュージーランド	Aaa	AA+	AA+
12	アメリカ	Aaa	AA+	AA+
23	中国	A1	A+	A+
24	サウジアラビア	A1	A	A+
25	日本	A1	A+	A

（出所）日本銀行、「週刊ポスト」（小学館）2022/12/9 大前研一記事、「プレジデント」（プレジデント社）2023/5/5 大前研一記事

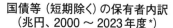

ろう。

デフレ脱却後、高まるスタグフレーションのリスク

日本経済はデフレから脱却しつつあるが、経済の低成長が続いていることから、2024年は「スタグフレーション」が進む可能性が非常に高い（図27上）。

スタグフレーションとは、「スタグネーション（景気停滞）」と「インフレーション（物価上昇）」が合わさったもので、景気後退局面における物価上昇を意味する。景気回復を重視すればインフレが悪化しかねず、インフレ抑制を重視すれば景気がさらに悪化しかねないため、財政金融政策は難しいかじ取りを迫られることになる。

かつては、1973年のオイルショック後や2020年のイギリスのEU離脱後に、スタグフレーションが起きている（図27下）。

1973年のケースでは、第四次中東戦争が引き金となり、約3カ月で国際原油価格が約4倍にまで急騰した。原油の供給逼迫《ひっぱく》と価格高騰に伴って石油関連製品の値上がりも加速し、国内では「狂乱物価」と呼ばれる急激なインフレが発生した。インフレ率は197

図27　日本経済はデフレから脱却しつつあるが、低成長が続いていることから、“スタグフレーション・リスク”が高まっている

日本に迫るスタグフレーション・リスク

スタグフレーションとは?

スタグネーション（景気停滞） ＋ インフレーション（物価上昇）

↓

スタグフレーション（景気後退局面の物価上昇）

景気回復を重視すればインフレが悪化しかねず、インフレ抑制を重視すれば景気がさらに悪化しかねないため、財政金融政策は難しいかじ取りを迫られることになる

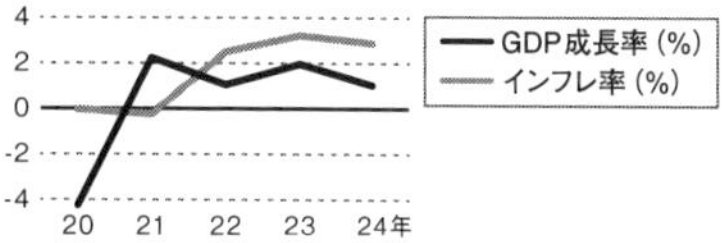

発生のイメージ

コロナ禍の拡大
ロシアのウクライナ侵攻

↓

物流網の混乱
供給能力の不足

↓

原油や小麦など
原材料価格の高騰

↓

個人や企業に
悪影響

↓

景気停滞 ＋ 物価上昇
（スタグフレーション）

スタグフレーションの事例

オイルショック

- 1973年、第四次中東戦争が引き金となり、約3カ月で国際原油価格が約4倍にまで急騰
- 原油の供給逼迫と価格高騰に伴って石油関連製品の値上がりが加速し、国内では後に「狂乱物価」と呼ばれる急激なインフレが発生
（インフレ率　1973年11.7%、1974年：23.2%）

↓

- これにより、経済の停滞と物価の高騰が同時的に進行。日本もトイレットペーパーや洗剤の買い占め騒動が起こるなど、パニックに陥った

イギリスのEU離脱

- イギリスでは、移民の増加による失業率の上昇や税金負担の増大が社会問題となった
- 2016年6月、イギリスではEU離脱の是非を問う国民投票が行われ、その結果を受けて、2020年1月にEUを正式に離脱

↓

- EU離脱後に英ポンド安が加速、輸入インフレが進行、その結果、景気の低迷と物価の上昇が同時に進むスタグフレーションの様相を呈している
（インフレ率　2016年：0.6%、2022年9.0%）

（出所）上／沖縄タイムスを基にBBT大学総合研究所が作成、下／オリックス銀行

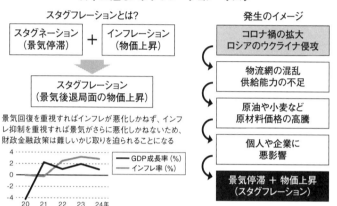

3年が11・7%、1974年が23・2%となった。

一方で、イギリスでは、移民の増加による失業率の上昇や税金負担の増大が社会問題となった。2016年6月、イギリスでEU離脱の是非を問う国民投票が行われ、その結果を受けて、2020年1月にEUを正式に離脱した。EU離脱後にポンド安が加速し、輸入インフレが進行した結果、景気の低迷と物価の上昇が同時に進むスタグフレーションの様相を呈している。インフレ率は2016年が0・6%、2020年が9・0%となっている。

日本政府は、スタグフレーションに対する明確な打ち手を持っていないと思われる。それだけにリスクが大きい。

貯まり続ける金融資産を消費に回すことが、日本経済を活性化する

しかし、日本経済の先行きをすべて悲観視する必要はない。当然、グッドニュースもある。

日本経済自体は低成長だが、家計の金融資産は2000兆円を超えている（図28上）。な

かんずく預貯金は1100兆円を超えている。つまり、金利が0・1%もつかないところに1100兆円もの金融資産が置かれているのだ。小学校で「つるかめ算」を習っていれば、どこへ置けばいいのか、誰でもわかるだろう。それなのにこういう状況だ。だから金利は上げるべきなのである。

植田和男日銀総裁はそのことをわかっている。だから次第に出口を模索し始めている。仮に金利が1%に上がれば、預貯金の部分だけで10兆円だ。昔のように5%になったら50兆円である。これはサウジアラビアにおける石油の年間輸出量の2倍に相当する。いわば、最大の埋蔵金だ。この埋蔵金を65歳以上の人が6割5分持っている。残念ながら、この人たちは子どもの頃から貯金奨励で育ってきているので、「お金を使う」という発想がない。私が首相なら「お金は使ってナンボだ。あなたは素晴らしい国に生まれたのだから、人生をエンジョイしてください」と言って金利を5%にして、50兆円あげるだろう（図28下）。

政府は「貯蓄から投資へ」と盛んに言っているが、これは大間違いだ。むしろ「貯蓄から消費へ」にすることで、日本経済は良くなるし、人生もエンジョイできる。アメリカやヨーロッパの人なら2軒目の家を建てるだろう。だから日本でも「狭いながらも楽しい我が家」という言葉を禁止にするべきだ。家は大きいほうがいい。そして「終の棲家《ついすみか》」もやめて、2軒目、3軒目を建てることだ。アメリカもヨーロッパも、そういう方向に向かっ

図28　日本経済をよくするには、金利を引き上げて、たまり続けている金融資産を「消費」に回してもらうことが有効

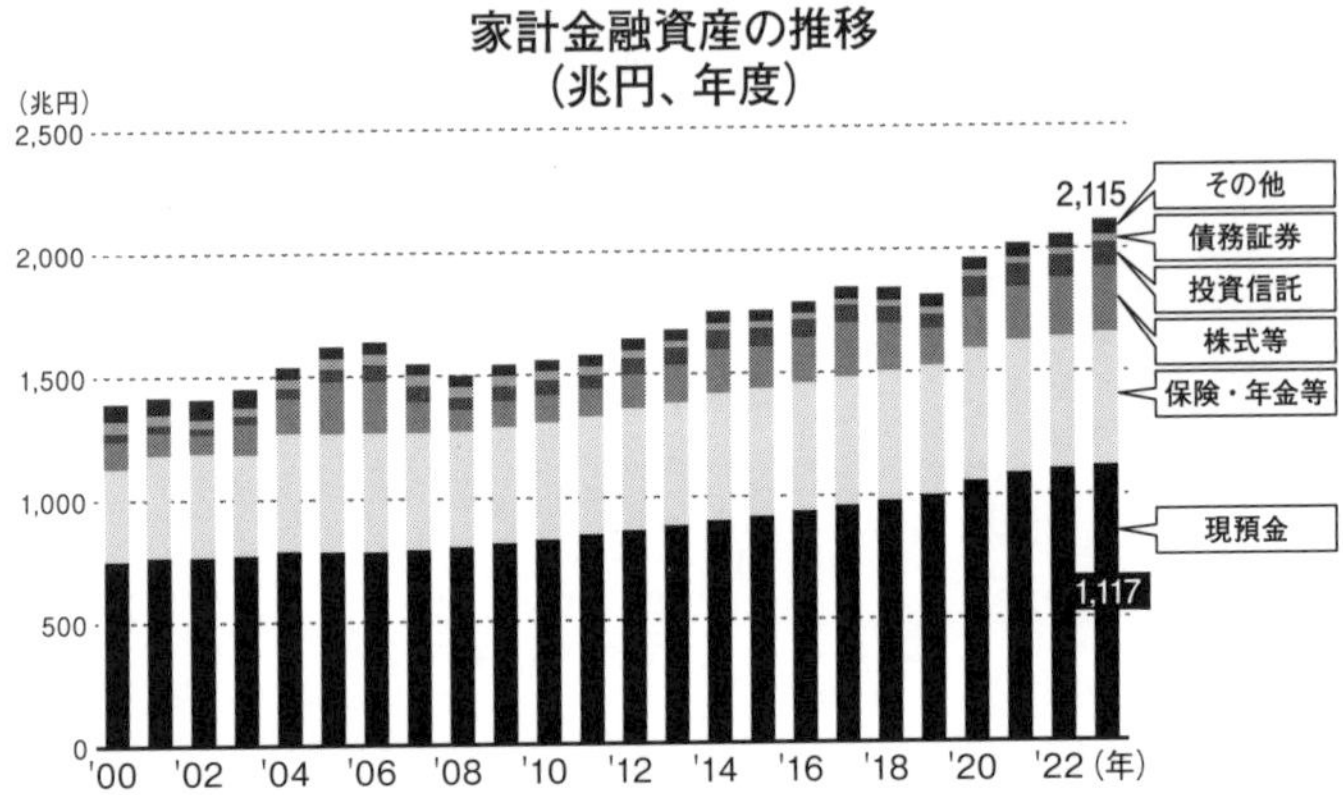

「アベノミクスとの決別」×「貯蓄から消費へ」

金利の引き上げ

- 高度成長期から1980年頃までの金利は5～7%。当時と同じ水準で金利を5%に引き上げると、個人の現預金1,000兆円の利子は年50兆円になる
- 金利課税として利子を半分徴収しても、国民の手元には現預金と25兆円が残る
- 歳入に余裕があるため社会保障は削られない。これなら心配性の日本人も25兆円を消費に回せる

貯蓄から消費へ

- 金利を上げて眠っている現預金をキャッシュに化けさせれば、それを使って人生をエンジョイすることが可能
- オーストラリア最大級のファンド、「スーパーアニュエーションファンド」は破綻したリゾートの買収・再生も手がけており、同ファンドに加入している高齢者は、割安な価格でリゾートを利用することができる
- 現役世代なら別荘を持ってみる。アメリカやカナダ、オーストラリアでは、40歳前後で別荘を買う人が多い

✕政府：「貯蓄」から「投資」へ
〇理想：「貯蓄」から「消費」へ

（出所）上／日銀資金循環統計、下／「プレジデント」（プレジデント社）2023/5/5大前研一記事

て景気が倍に膨れている。日本の場合は貯蓄に回って０・１％だ。ここに日本の構造的な問題がある。政府は貯蓄を消費に回させて、人々が人生そのものをエンジョイすることを援助するべきだ。

オーストラリアでは、年金ファンドがこの役割を担っている。たとえば、オーストラリア最大級のファンド「スーパーアニュエーションファンド」は、破綻したリゾートの買収・再生も手がけており、同ファンドに加入している高齢者は割安な価格でリゾートを利用することができる。「今年の冬のバケーションは飛行機でハミルトン島に行き、家族で１週間過ごす」などが格安でできるのだ。つまり、人生をエンジョイするために年金ファンドが大きな役割を果たしている。日本でも第一生命が福利厚生サービスのベネフィット・ワンを買収した。元々、生命保険は「死んだときにもらう金」というネガティブなものだ。それが「生きている間にエンジョイしよう」となると、プラスにすることができれば、これは日本にとっては革命だ。第一生命はベネフィット・ワンの会員に生保をさらに売るようなことを言っているが、ポイントがずれている。

止まらない人口減少による国力の低下

日本では2007年以降、死亡率が出生率を上回るようになった（図29上）。今後は15歳から64歳までの就業人口もどんどん減ってくる（図29下）。これは日本の構造的な問題だ。抜本的な解決策は今の政府にはない。

また、介護従事者も不足している。私は前青森県知事の三村申吾氏とは懇意にしている間柄だが、彼が「次はもう立候補しません」と言うので、驚いて理由を聞いたら、「実は故郷が奥入瀬で、親父とお袋の介護者がいない。だから私が介護するしかないんです」と言う。構造的に人がいないのだ。だから老老介護をするしかない。この問題は日本でもかなりシリアスだ。私の会社もある役員から「辞めたい」と言われ、理由を聞いたら長崎県出身で両親を介護する人がいないという。「介護者を雇ってくれたら、費用は会社が全部払うよ」と言っても、「いやいや、そんな人がいれば、もうとっくにやっています」という状況なのだ。結局、長崎から完全オンラインで対応してもらうことになったが、とにかく介護人材が足りないのである。

日本は、いずれ自衛官も消防士も警察官もいなくなる可能性がある。すべて外国人に任

図29　**人口減少という構造的な問題が、日本の国力衰退を加速化させる要因となっている**

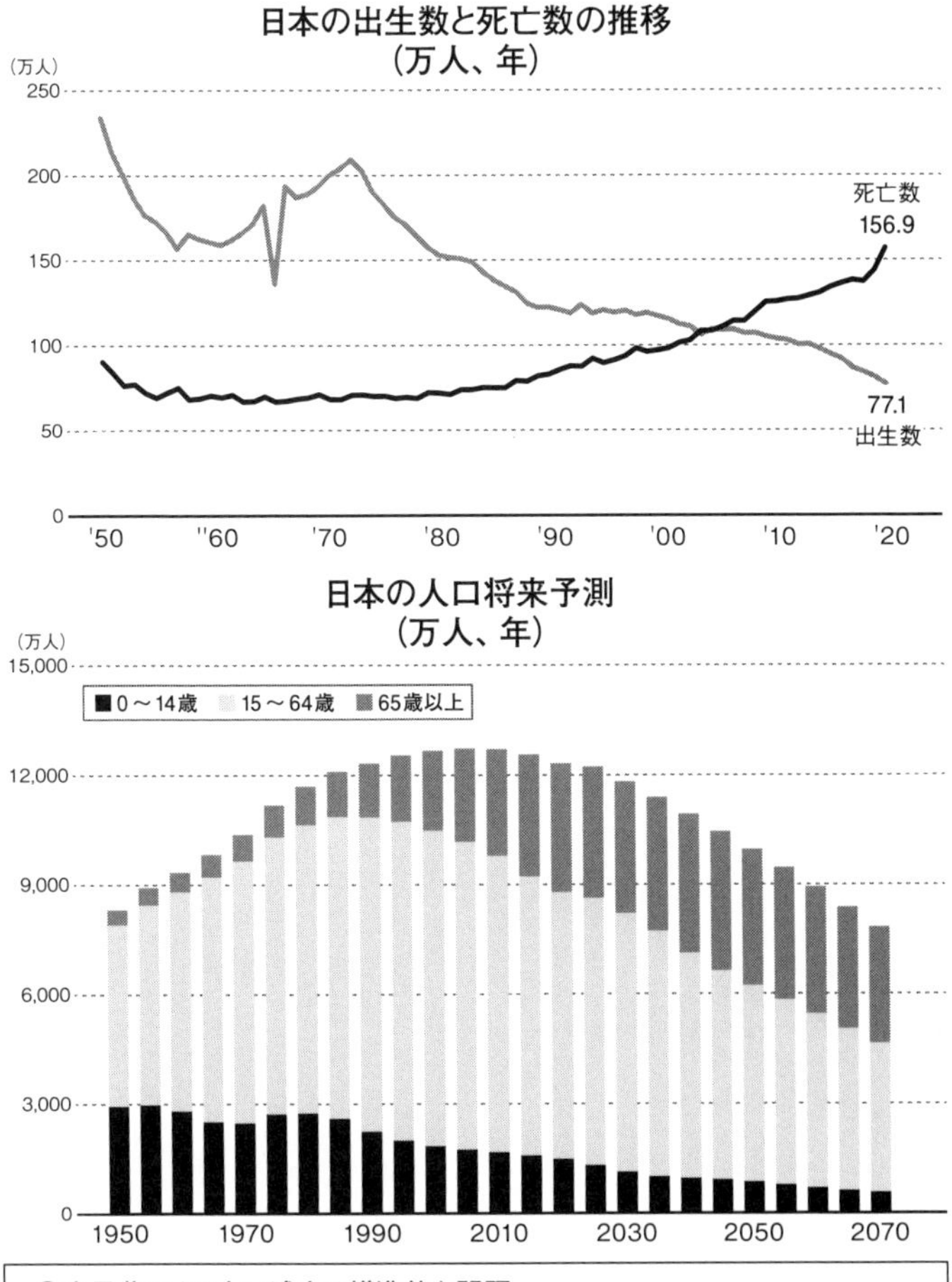

●少子化による人口減少は構造的な問題
●少子化・生産年齢人口の減少は、日本の生産力（国力）の低下につながる
●介護従事者が構造的に不足しており、介護崩壊のリスクにもつながる

（出所）「週刊ポスト」（小学館）2023/3/21、2022/3/18、2022/2/4大前研一記事、
日本経済新聞、厚生労働省、国立人口問題研究所

せるわけにはいかない。本来であれば30年ほど前から着手するべき課題だったのだ。

人口を増やすことが必要条件となる日本の先行き

日本の人口を増やす施策としては、3つの方向しかない（図30）。

まず、戸籍制度のある国では、人は増えない。世界を見渡せば、韓国と日本だけ戸籍制度が残っていて、結婚していない夫婦から生まれた子どもは約3％しかいない。一方、フランスでは約60％の子どもが結婚していない夫婦から生まれている。だから合計特殊出生率が約1・8に戻ってきているのだ。もちろんフランスをはじめとするヨーロッパの国々に戸籍制度はない。

また、女性の地位向上に注力し、「女系社会」にすることも必要だ。夫婦別姓でさえ実現できないような今の自民党にそれは無理だろう。たとえば、デンマークでは、デンマーク人の女性が子どもを産んだ瞬間、その子どももデンマーク国籍になる。男性の名前を記入する欄さえない。男はどうでもいいのだ。日本では民法772条第2項で「婚姻の成立の日から200日を経過した後、又は婚姻の解消若しくは取消しの日から300日以内に生

図30　国力は人口で決まるため、国家の衰退を反転させたければ、人口を増やすことが必要条件となる

人口を増やす施策

子どもを増やす

子育て世帯の税負担軽減
- フランスのN分N乗方式で税負担を軽減
- ただし、日本は所得税の累進課税制度が厳しすぎる

戸籍制度の撤廃
- 欧米では婚外子が当たり前だが、日本では結婚して籍を入れないと、その子供は婚外子（非嫡出子）として偏見や差別を受けることになる（戸籍制度があるのは、日本と韓国だけ）
- 法定婚・事実婚・同性婚・養子縁組・里親制度を含め、すべての「子ども」が平等に扱われる社会の構築が必要不可欠（夫婦別姓も同じ）

女性の地位向上に注力する

- 「父親との遺伝的なつながりは関係ない」という考え方
- 自国籍女性が生んだ子どもであれば、父親が誰かは問わず、すべて自国民として国籍を与える「レジストレーション（登録）」
- 欧州の多くの国は、少子化対策としてこの方向で進んでいる（スウェーデンのサムボ制度、デンマーク、フランス等）

移民を積極的に受け入れる「異次元移民政策」

- 戸籍制度撤廃だけでは人口は増えないので移民の受入れを同時に行う
- 移民、難民を毎年100万人受け入れる仕掛けをドイツ、カナダ、オーストラリアなどに倣って作り上げる
- 例）
  ドイツでは、職業に関する資格や技能、過去の就労年数、学位、語学能力などが移民の判断基準になる。国籍取得には8年かかる

自民党の古い家族観が障害となる

- 安倍晋三元首相の一派、その背後にいる日本会議や旧統一教会的なイデオロギーを持つ人たち
- 父系優先の古い家族観
- 一部の国粋主義的に、移民受入れに反対する勢力

安倍晋三元首相が残した負の遺産にメスを入れる必要がある

- 旧統一教会問題
- 安倍氏の影響が強い保守勢力などの議員に引導を渡す

（出所）「プレジデント」（プレジデント社）2023/12/15、2023/3/3 大前研一記事

まれた子は、婚姻中に懐胎したものと推定する」と定められているが、いい加減なものだ。染色体を調べたら、大きな問題が起こるかもしれない。だからフランスでもデンマークでもそういうことはしない。

次に、移民の積極的な受け入れが必要だ。〝安倍的なもの〟では、これが全部マイナスになっている。だから移民や難民を受け入れるべきだ。

カナダは2024年から2026年までに毎年50万人の新規移民を受け入れることを目標に掲げている。受け入れた上でそれらの人々を教育するわけだ。

オーストラリアはすでに新興国のような感じだ。他国から来た人が非常に活発に活躍している。オーストラリアのやり方は面白く、「銀行に1億円を預けてくれた人は、その日にオーストラリアのパスポートをあげる」というものだ。だから金持ちだけが来る。資源に恵まれたオーストラリアには怠け者が多いと言う人もいるが、外国から来た人は次の日から働き始める。カナダもそうだ。

これらの国の特徴は英語圏だということだ。だから世界中から英語ができる人が来る。日本に来る人はまず言葉の問題で悩むので、来る人自体が減っている。日本は英語の問題を抜本的に解決しなければならない。私は以前からこのような提案をしている。日本の文科省は英語のできない国民を量産しているのが現状だ。

英語の力がついたところは、韓国とドイツだ。この20年でTOEICのスコアがぐんと上がった。韓国は金大中《キムデジュン》政権のときに「IMF進駐軍で二度とこの屈辱を味わわないため」と言い「世界に開かれた韓国」ということで、3つの方針を出した。言語、IT、それから資本の国際開放である。そうして韓国人の英語力が向上した。

ドイツは失敗から学んでいる。ダイムラー・ベンツはアメリカでクライスラーを買収したものの、うまく経営できずに手放した。それから3大化学会社もアメリカで同業者をたくさん買ったが、うまく経営できなかった。そういう状況を受けて、「英語で経営ができる人間しか部長以上にはしない」と宣言した。ドイツの3大化学会社と3大自動車会社が同時に宣言したのだ。それが英語力向上の契機になっている。

私はマレーシアのマハティール・ビン・モハマド首相のアドバイザーを18年務めていたが、シンガポールに次いで国語論争が出てきた。

マレーシアではイスラム原理主義の僧侶が強い。外国語を強調すると、これらの人たちが怒る。そこで私はマハティール氏に「最終的な意思決定は政府がしない。教室でマレー語を使うか、それとも英語でやるかを学校に決めさせよう。個々の先生が決めてもいい」と提案した。すると彼は「ブライト・アイデアだ」と言ってこれを実行した。

10年後、理数系は英語で教える人が多くなり、国語や宗教はマレー語を使うようになった。そうすると、理数系は英語でやっているので、オーストラリアなどから大量の先生が入ってきた。この人たちは10年で、子どもたちみんなが英語をできるようにした。20年経ち、マレーシアの人はみんな英語ができるようになった。国際会議も英語で仕切れるようになった。英語を教えるのではなく、英語で教えるようにしたからだ。フィンランドも同じことをやって、大学では英語で教えなければならない。ヨーロッパで一番難しいと言われるフィンランド語がガラッと変わり、英語の上手い国民ができた。それでノキアが世界で活躍できたのだ。

日本もそのぐらいのことをやらなければいけない。日教組や文科省では、「英語を教えるのには英語免許が必要だ。そして英語免許を取るには日本語で試験を受けないといけない」となっている。これでは明治時代とまったく変わらない。

著名企業・組織で不祥事や問題が相次ぐ

2023年の特徴は、歴史が古くて著名な大企業で、不祥事が相次いだことである（図31）。つまり、企業のガバナンスの欠如が露呈した形だ。具体的には、ビッグモーター、

図31　2023年は国内の著名な企業・組織で、“不祥事・問題”が相次ぎ、企業ガバナンスの欠如が露呈した

	どのような問題が起きたのか？	何が原因となっているのか？	どうするべきか？
ビッグモーター	●保険金の不正請求 ●損保ジャパンなど含め業界ぐるみの問題 ●除草剤散布で店舗前の街路樹を枯らした	●組織が根っこから腐っている ●兼重宏行氏（創業者）、その子息の問題 ●経営を引き継いだ和泉信二社長も、同社の専務を長く務めた同じDNAの持ち主	●解体して資産をばら売りするしかない ●別企業による買収は、創業家に株買取資金が入ることになるので、避けるべき ●一度解体することが望ましい
ジャニーズ事務所	●故ジャニー喜多川氏の未成年者への性加害 ●優越的地位を利用したテレビ局等への圧力（独禁法違反）	●組織が根っこから腐っている ●経営経験がないタレントを経営陣に据えた ●所属タレントに活動を存続させるには、社名変更や、新会社設立では不十分	●BTS等で世界的エンターテインメントで成功している韓国の「HYBE」の傘下でタレントをマネジメントしてもらう* ●補償会社は、藤島前社長が専従する
宝塚歌劇団	●所属劇団員の転落死 ●長時間労働や心理的負荷 ●上級生によるパワハラ（劇団は確認できていないと発表）	●組織が根っこから腐っている ●調査弁護士事務所に、グループ企業の役員が所属していた ●劇団経営陣のガバナンスが機能していない	●内部に解決策はない ●外部から経営のプロを呼んできて、内部統制・ガバナンスを再構築するしかない
日本大学	●日大アメフト部員による違法薬物（大麻・覚せい剤）所持 ●大学側が、学生の逮捕を公表するまでに約2週間の時間を要し、対応不十分	●巨大組織の硬直化 ●元検事の澤田副学長が、違法薬物所持に関する情報を隠し、必要な対応を行った ●林真理子理事長が機能していない ●トップを変えても、その下の組織が腐っている	●経営改革の経験のある人材を登用 ●トップの下の階層に問題の根があるため、この部分の改革に切り込む

*12/8に旧ジャニーズ所属タレントの新エージェント会社「STARTO ENTERTAIMENT」設立が発表された

（出所）「週刊ポスト」（小学館）2023/10/20 大前研一記事、各種報道・資料より作成

ジャニーズ事務所（現SMILE-UP）、宝塚歌劇団、日本大学などである。いずれも組織自体に問題があるのだが、特に「どうするべきか？」というところで失敗している。

ビッグモーターは伊藤忠商事が買収すると言っているが、解体するしかないだろう。買いたい資産があったら買うという考え方だ。この会社の給料は同業者の2倍である。だから社員を受け入れるリスクが高い。今までの考え方もまったく通用しないだろう。

旧ジャニーズ事務所もジャニーズ出身のタレントが社長や会長をたらい回しにしている状況だ。私の解決案は、韓国の「HYBE（ハイブ）」の傘下に加わることである。ハイブは世界最強のエンタメ集団で、アメリカのプロダクションなども買収しているほどだ。BTSはメンバーがみんな軍隊に行き、誰もいなくなってしばらく暇なので、やってもらったらいい。ただし、補償会社は藤島ジュリー景子氏がとことんやるべきだろう。

宝塚歌劇団は、阪急阪神ホールディングスの角和夫氏が2023年12月に理事長を退任しているが、彼やその奥さんが人事権を支配している状況では駄目だ。阪急の上役には、宝塚の女の子を連れてバーに行ったりオープンカーに乗せて遊びに行ったりしている人も私は目撃している。そのような人が理事をしているようでは駄目だろう。やはりプロの経営者を呼ぶ必要がある。

日本大学も、現理事長で小説家の林真理子氏には経営能力がなく、機能していない。この組織に必要なのは、ガバナンス、コンプライアンス、および経営力だ。有名人となった卒業生を連れてくるという悪い習慣をやめるべきだろう。

いずれも問題は内部から出ている。だからこそ、その組織と関係がない外部の専門家を連れてこないと駄目だ。企業の不祥事を見ていると、新しい体制をつくれない傾向にある。まったく違う解決策を考えられる外部のプロが必要だ。

「ChatGPT」のリリースから1年、日米で差がつく生成AIの利活用

2022年11月、オープンAIが生成AI「ChatGPT」を発表した。それにより世界的な生成AIブームが巻き起こり、後にアメリカのマイクロソフトが出資、提携している。

それから1年が経ち、世界はガラッと変わった。グーグルやメタ、アマゾンなど、アメリカの大手テック企業による生成AIの開発や活用の動きが活発化している（図32上）。

グーグルは対話型AI「Bard」を展開し、自社のネット検索サービスにも生成AIを活用している。またメタ（旧フェイスブック）は、大規模言語モデル「Llama2（ラマ2）」を

図32　2022年11月にOpenAIが「ChatGPT」をリリースしてから1年、生成AIの利用では日米で大きな差がついた

米テック大手による生成AI開発・活用への動き

オープンAI	●2022年11月ChatGPT公開、世界的生成AIブームを起こす。米マイクロソフトが出資、提携
グーグル	●対話型AI「Bard」を展開、ネット検索にも生成AIを活用
メタ	●大規模言語モデル「Llama2（ラマ2）」をオープンソースで公開、マイクロソフトとも連携
アマゾン	●AWSを通じクラウドで生成AIのサービスを提供 ●スマートスピーカーにも生成AIを搭載
xAI	●イーロン・マスク氏が設立、グーグルやオープンAIの元技術者らが集う。テスラとも連携

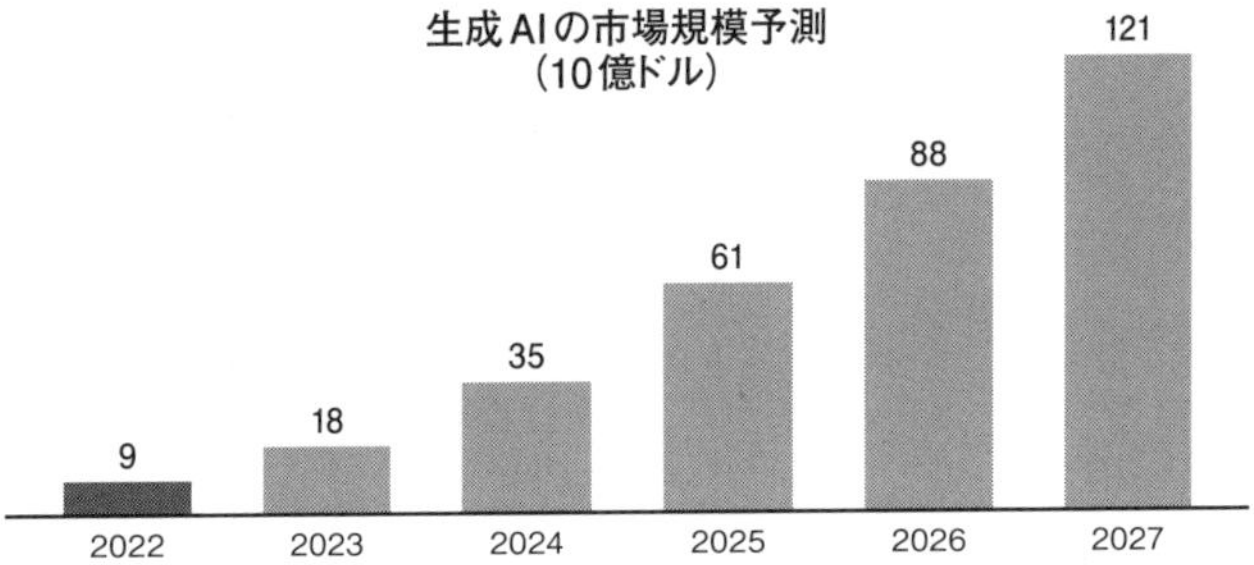

生成AIの利用状況（日米比較）

「現在利用中」または
「2023年に利用予定」合計平均

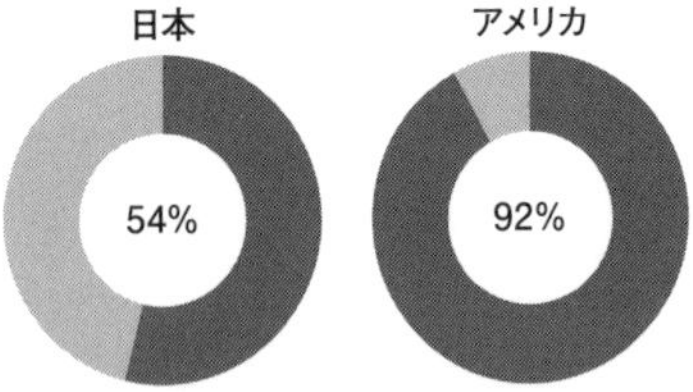

「現在利用中」または「2023年に利用予定」合計上位3回答*

日本		アメリカ	
AI用学習データ生成	62%	ドキュメント作成自動化	93%
問い合わせ対応ChatBot	60%	研究開発	93%
ドキュメント作成自動化	55%	AI用学習データ生成	93%

*生成AIを「利用中」または「2023年利用を着手」と回答した割合の合計
日本 n= 331、アメリカ n=1014

（出所）上／BCG、下／PwC「2023年AI予測」

オープンソースで公開し、マイクロソフトとも連携している。さらにアマゾンは、自社のクラウドコンピューティングサービス「ＡＷＳ」を通じて生成ＡＩのサービスを提供し、スマートスピーカーにも生成ＡＩを搭載した。テスラＣＥＯのイーロン・マスク氏が新たに設立したｘＡＩ（エックス・エーアイ）社には、グーグルやオープンＡＩの元技術者らが集い、テスラとも連携している。このように、２０２３年はまさに「生成ＡＩ元年」と呼べるほどの大きなムーブメントになった。

しかし、生成ＡＩの利用状況において、アメリカでは92％が生成ＡＩを使い始めているとの統計もあるが、日本は54％と大きく出遅れている（図32下）。使い方にも違いがあり、アメリカではすでに9割の企業が「ドキュメント作成自動化」「研究開発」「ＡＩ用学習データ生成」などの分野で積極的に使っているが、日本企業は5割から6割台に留まっている。

アメリカで顕在化する「AI失業」は日本国内でも起こる

ＡＩの利活用が進むと同時に、ＡＩによる人員削減も急速に進むだろう。そこにも備えておかなくてはならない。

アメリカでは、Tモバイル US、ドロップボックス、IBMが人員削減や配置転換を発表しているが、これはAIを理由とする人員削減であり、2023年の1~8月で約4000人にのぼっている（図33上）。これは入り口に過ぎず、今後何万人、何十万人という単位で人員が不要になる可能性が高い。

特に専門職（医療関係、STEM）、プロフェッショナルと言われている職種で、AI導入による雇用削減が進む可能性が高い（図33下）。

日本でも、アメリカ同様、AI失業が顕在化・増加する可能性が高い。

AI時代に求められる「右脳構想力」

AI時代に人間は何をすべきかというと、当然コンピュータやAIが不得意とする領域だ（図34）。具体的には、「答えがない」問題・仕事、EQ（心の知能指数）の領域である。そのための教育としては、中学高校も含めて、右脳を使った答えのない分野をトレーニングしていかなければならない。コンピュータが苦手なのはこの右脳的なひらめきの分野だからだ。しかし、今の日本の教育プログラムのどこを探してもそれがない。

図33　**アメリカではAI利用が進む一方、AIによる失業リスクが顕在化しており、日本でも同様のAI失業が増加する可能性が高い**

アメリカ企業のAIによる人員削減・配置転換の事例

Tモバイル US
- 全体の7%に当たる従業員を一時解雇する方針
- 2023年9月から本格的に解雇通知。解雇理由に「AI活用」が含まれる
- 雇用削減対象は、経理・人事など企業内のバックオフィス業務が中心

ドロップボックス
- 全従業員の約16%にあたる500人の人員削減を発表
- プログラムを書く仕事などがAIで代替できるとみて「これまでとは違うスキルや技能を持った人材が必要になる」として、今後人材の入れ替えを進める

IBM
- 単純な繰返し作業にあたるバックオフィス業務職の3割程度が、今後5年でなくなるとの見通し
- こうした職種は、そのまま減らすのではなく、従業員の配置転換を軸に対応

AIが理由のアメリカ企業人員削減　2023年1～8月で約4000人

➡ これは入口程度に過ぎず、今後、何万人、何十万人という単位で、人員が不要になる可能性が高い

アメリカにおけるAI導入による雇用増減予測
(2022～2030年の雇用需要の増減率、%)

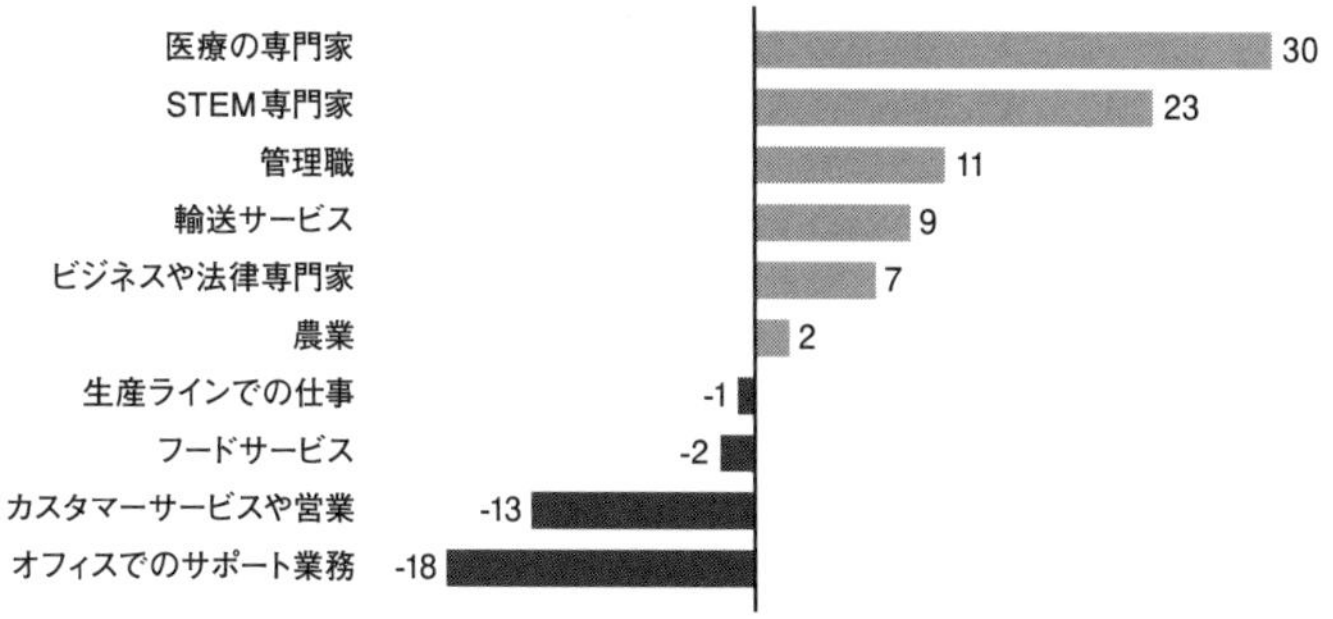

日本でもアメリカ同様、AI失業が顕在化・増加する可能性が高い

（出所）日本経済新聞、McKinsey

そのことに文科省が気づくのはまだ先になるだろうから、子どもを持つ親は、こういう状況を踏まえ、子どもに対し、コンピュータにできないことを訓練したりチャンスを与えたりするべきだ。今の高校生が社会で活躍する20年後はまさにＡＩが〝たけなわ〟だと予想されるからだ。

特に知的好奇心（inquisitive mind）、すなわち〝質問する力〟を養い育てることである。何事もおいて常に疑問を持って質問し、データや情報を調べながら深く考え、それに基づいて自分なりの答えを導き出す訓練をしておきたい。

私がフィンランドに行ったとき、現地の幼稚園では起業家養成学校のようなことをやっていた。子どもを八百屋に連れて行き、「このおじさんはどうやってご飯を食べているんだろう？」という質問をして、「これが売れなかったら腐ってしまうよね。そうしたら、売れないからお金が入らないよね」と幼稚園児に考えさせているのだ。日本でも「答えはこれだ」と教えるのではなく、「果物屋さんや肉屋さんはどうやって生計を立てているのか」を本人に考えさせるように頭の構造を訓練しておけば、やがて世界で活躍できる人間になるだろう。

図34　AI失業時代には、子どもの「質問する力」を伸ばし、AIに真似できない右脳構想力を身につけさせるべきである

左脳
論理的思考

右脳
直感的思考

・言語
・計算
・記憶
・分析
・数学

・イメージ
・芸術性
・ひらめき
・空間認識

AIが得意な領域／不得意な領域

AIが得意な領域
「答えがある」問題・仕事、IQの領域

- 左脳が得意とする
- 言語・計算力・分析力・記憶などの論理的思考を司る
- これまで弁護士や医師、薬剤師、教師、公認会計士、税理士、弁理士、司法書士、行政書士などは国家試験に合格して免許を取得すれば、知的ワーカーとしてそれなりの高収入を得ることができた

AIが不得意・苦手な領域
「答えがない」問題・仕事、EQの領域

- 右脳が得意とする
- 創造性・ひらめき・芸術性・イメージなどの直観的思考を司る
- 人の心理などを踏まえながら判断するEQ
- ゼロから未来を構想する力

AI時代における教育の方向性

左脳
知識を教えるだけの教育

- AI中心にシステム化する
- 学習方法もAIでサポートする
- 「学習塾のトライ」方式、サイバー・マンツーマン教育
- AIを使って効率よく勉強していくべき

右脳
AIに真似できない右脳を鍛える教育

- 完全に個人別のテーラーメイドで、スポーツや音楽のようにインストラクターをつけてスキルを磨くという学習体系
- 全体的な構想を考え抜いて実行していく力を身につけるための教育
- 親がやるべきこと
  子どもの「知的好奇心（Inquisitive Mind）」
  ＝「質問する力」を養い育てること
  何事においても常に疑問を持って質問し、データや情報を調べながら深く考え、それに基づいて自分なりの答えを導き出す癖をつける

（出所）「週刊ポスト」（小学館）2023/11/10、2023/11/17 大前研一記事

日本では世界で活躍できる人材が育っていない

日本の人材の質が凋落している原因は、世界のどこに行っても活躍できる人材を育てていないためである。

コンピュータの得意な領域で人間が競争するのは、将棋で藤井聡太氏と競うことぐらい大変だ。日本は世界のどこに行っても競争できない人間ばかりつくってきたため、「IMD世界人材ランキング」で順位が落ち続けており、2023年は43位と、調査開始以来、最低水準となった（**図35上、下**）。

私がアメリカに留学したのは1960年代だが、当時、日本人の留学生は非常に多かった。MIT（マサチューセッツ工科大学）だけで年間70人ほど来ていたが、今は激減している。その理由は「日本の中で何とかしよう」という方向に向かっているからだ。パナソニック創業者の松下幸之助は、英語がまったくできないのにもかかわらず、オランダのフィリップスに飛び込み、「提携しましょう」と交渉した。英語のできない人も、やはり日本の中に閉じ込もっていては駄目なのだ。

今の日本では、海外の人も活躍できず、日本人も海外で活躍できていない。インド人と

図35　日本の人材の質が凋落している原因は、世界のどこに行っても活躍できる人材を育てていないためである

IMD世界人材ランキング（2023年）

1	Switzerland	14	Ireland	27	Bahrain	40	Botswana
2	Luxembourg	15	USA	28	Kuwait	41	China
3	Iceland	16	Hong Kong	29	Cyprus	42	Italy
4	Belgium	17	Estonia	30	Qatar	43	Japan
5	Netherlands	18	Australia	31	NZ	44	Poland
6	Finland	19	Israel	32	Spain	45	Thailand
7	Denmark	20	Taiwan	33	Malaysia	46	Croatia
8	Singapore	21	Czech Rep	34	Korea Rep.	47	Indonesia
9	Austria	22	UAE	35	UK	48	Hungary
10	Sweden	23	Lithuania	36	Saudi Arabia	49	Turkey
11	Norway	24	France	37	Greece	50	Chile
12	Germany	25	Portugal	38	Kazakhstan		
13	Canada	26	Slovenia	39	Latvia		

日本の人材ランキング推移

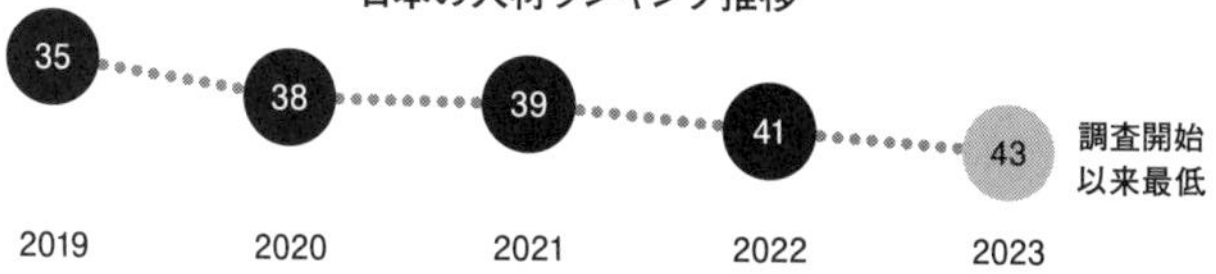

日本の人材ランキング2023年の詳細

大分類	主な細目
自国人材への投資・育成（36位）	・医療インフラ（21位） ・実習・見習い（23位） ・生徒一人当たりの公的教育支出（26位） ・女性労働力（38位） ・教育への公的支出のGDP比（53位）
海外人材を引き付ける魅力（23位）	・誘致意欲（4位） ・マネジメント層の報酬（7位） ・公正性（11位） ・外国人高度人材（54位） ・生活コスト（56位）
優秀な人的資源があること（58位）	・OECD学習到達度調査（PISA）のスコア（5位） ・初等・中等教育（30位） ・マネジメント層への教育（60位） ・有能なシニアマネジメント（62位） ・国際経験（64位）

日本が、世界のどこに行っても活躍できる人材を育てていないことが最大の問題

（出所）IMD「World Talent Ranking2023」

比べればよくわかるだろう。前述したように、多くのインド人がアメリカの大会社のトップに就いている。世界のどこに行っても活躍できる人材を育ててきたからだ。

岸田首相は「世界の優秀な方々はぜひ日本に来てください」と言っているが、日本国内に世界のどこに行っても活躍できる人がたくさんいなければ、そもそも日本に来ても活躍できない。日本が変わらない限り駄目なのだ。

ただし、日本人は元々優秀でもある。私は女子スキージャンプの高梨沙羅選手のファンなのだが、彼女のように子どもの頃から取り組んで世界記録を更新している例もある。あいう科目は文科省のプログラムにはない。だから文科省で育った普通の人は世界で通用しない。私は学生時代に通訳案内業のアルバイトをしたが、金儲けがしたいからやったのだ。学校に行かずに自分で勉強して稼ぎまくった。だから学校に行っていないのが私の特徴なのだが、自分のやりたいことに取り組んでいる事例、たとえばスポーツやアニメ、ゲームなどの世界では日本人が圧倒的に強い。それを駄目にしているのはやはり文科省なのである。

第3章をもっと深く理解するためのキーワード

政治資金収支報告書不記載問題

自民党5派閥における政治資金パーティーをめぐる政治資金収支報告書への過少または不記載したこと、および各派閥が派閥の所属議員が販売ノルマを超えて集めた分の収入を「裏金」として国会議員にキックバックする運用を、組織的に続けてきた問題。2022年11月に『しんぶん赤旗』が5派閥の多額の不記載をスクープしたことをきっかけに、同月から東京地方検察庁への告発状が断続的に提出され、2023年11月に各メディアが報じたことで裏金問題として表面化した。

世界平和統一家庭連合（旧統一教会）

文鮮明によって1954年に韓国で創設された新興宗教団体。旧名称は「世界基督教統一神霊協会（統一教会）」。文化庁が発行している宗教年鑑では、キリスト教系の単立に分類されている。日本では、1980年代に教団が関係するいわゆる「霊感商法」や教祖である文鮮明がカップルの組み合わせを決める大規模な合同結婚式などが大きな社会問題となった。1994年に現在の名称に変更。現在の教祖は文鮮明の妻の韓鶴子。

HYBE（ハイブ）

韓国の大手総合エンターテインメント企業。2005年にパン・シヒョクが設立。6つのレーベルから「BTS（防弾少年団）」「SEVENTEEN」「NewJeans」「LE SSERAFIM」などの人気アーティストを輩出。また日本の系列会社には平手友梨奈、アメリカの系列会社にはアリアナ・グランデやジャスティン・ビーバーらが所属する。

オープンAI

営利法人OpenAI LPとその親会社である非営利法人OpenAI Inc.から成るアメリカの人口知能研究所。人類全体に利益をもたらす形で友好的なAIを普及・発展させることを目標に掲げ、研究を行っている。2024年4月、日本法人を東京に設立。

生成AI

AI（人工知能）の機械学習のモデルの一つで、学習済みのデータを活用して新たなデータを生み出せる機能を有する。テキスト、画像、音声、動画など生成できるものは多岐にわたり、専門知識がなくても利用できることから近年注目を集めている。主にディープラーニング（深層学習）によって構築された大規模な機械学習モデルで、事前に大量のデータを学習しておき、利用者は学習済みのAIから新たなデータを生み出して利用できる。

第4章

中国の最新動向

孤立化する習近平のジレンマ

深刻化する習近平と共産党が抱える問題

中国は、2022年10月の習近平《しゅうきんぺい》政権3期目突入以降、周辺状況が急速に悪化している。おそらく、習近平氏自身の能力で問題を解決することは難しいだろう。

2023年10月に北京で行われた「一帯一路」会議の様子を見ても、9年前に提唱したコンセプトを繰り返すだけで、構想は尻すぼみ状態であることがわかる。「一帯一路」構想は欧米に遅れて中国が始めた新たな植民地主義だが、今や見るべき成果がなく、イタリアから脱退を通知される状況となってしまった。また、同時期に中国が鳴り物入りでスタートした「ＡＩＩＢ（アジアインフラ投資銀行）」も、当時は「日本もＡＩＩＢに加わるべきだ」という意見が強かったくらいだが、現在は失速してしまっている。私は当初から「中国に途上国の開発援助ができるわけがない」と言ってきた。すでに6兆円を使ったと言われているが、成果はほとんどゼロで、〝開店休業〟状態である。

現在、中国が直面している問題とは、習近平氏自身の統治能力の問題、不動産バブルをはじめとする国内経済問題、それに共産党一党独裁による統治の問題だ。これらはその解決策自体が習近平氏を辞任に追いやることになったり、共産党支配の崩壊につながったりする可能性が高い。そして、今後の中国はそうした舵取りの難しい状況が続く。

こうした背景を踏まえ、以下、経済の問題、政治の問題、そして共産党統治の問題について詳しく見ていこう。

「独裁者のジレンマ」にハマる習近平

習近平政権は2022年10月より、異例の3期目に突入したが、これは後述するように鄧小平《とうしょうへい》が生前に定めた「国家主席は2期10年で引退」という慣例を無視したものだ。習近平氏の父・習仲勲《しゅうちゅうくん》は鄧小平によって失脚させられた人物であり、鄧小平を憎む習近平氏は彼の遺言を無視したわけである。

3期目の新たな最高指導部（中国共産党中央政治局常務委員会、いわゆる「チャイナセブン」）のメンバーを見ると、1人を除いて全員がかつて浙江省や福建省などで習近平氏に仕えたことのある「習派」と言われている側近たちで固められた布陣になっている。

これまで、中国政府の中央指導部は主に2つのソースから輩出されてきた。

1つは、「共青団（中国共産主義青年団）」出身者に代表される、若い頃から共産党のエリートとしてリーダーシップを叩き込まれた人々だ。その代表が胡錦濤《こきんとう》氏（前国家主席、前総書記）や2023年10月に急逝した李克強《りこっきょう》（前首相）らだが、2022年10月の共産党大会で全員がパージ（追放）されてしまった。

もう1つは、地方都市の首長だ。叩き上げの市長が自らの才覚でのし上がって省長や省書記になり、やがて北京の中央指導部に引き上げられるというルートである。その代表格が薄熙来《はくきらい》氏だ。私は彼が大連市長の頃からアドバイザーを務めていて、その後、彼は遼寧省長、重慶市書記と順調に昇格していった。ただ、彼はあまりにも早く出世したため、習近平氏の対抗馬とみなされ、夫人の不祥事を理由に失脚させられ、裁判で終身刑を宣告された。現在も服役中である。この叩き上げルートの人たちは非常に優秀だ。役人でありながら経営者感覚に優れており、自らトップセールスを行って外資系企業を誘致するなど、起業家のような側面もある。私はこのタイプの人たちをかなり知っているが、現在はみなパージされて、共産党の上層部からはいなくなってしまった。

その他にも、2022年11月に死去した江沢民《こうたくみん》元国家主席や元上海市長の汪道涵《おうどうかん》に代表される「上海閥」もあるが、このグループにつながる人たちもすべてパージされた。

要するに、今の共産党上層部には習派しかいない状況である。したがって、政策面で困ったことがあったときに習近平氏に的確なアドバイスをしてくれたり、知恵を出してくれたりする人材が、現在の彼の取り巻きにほとんどいない。「いや、影のキャビネットがあるんだよ」としたり顔に言う人もいるが、その兆しはまったく見えてこない。

明らかに習近平氏は「独裁者のジレンマ」に陥っている。独裁体制とは、強固になればなるほど責任が独裁者に集中し、失敗するとそのツケはすべて本人に回ってくる。しかもそれを修正するのは容易ではない。

たとえば、ロシアのプーチン大統領は、一期目の大統領就任から24年目を迎えているが、最初の5年間は拍手で迎えられたものの、長期政権化するにつれて、評価は下がっている。モスクワの有力なアナリストが言っていたのは、「プーチン氏は今、自分がなぜウクライナに侵攻したのか自問自答しているが、自分でも答えがわからないのではないのか」ということだ。これが独裁者のジレンマの典型である。

習近平独裁体制下で続く失策

習近平氏の独裁体制下で続く失策には、「内政の失策」「経済の失策」「外交の失策」の3つがある（図36）。

図36　習近平独裁政権下で失策が続くが、有効な打ち手は共産党の自己否定につながる可能性が高いため、身動きがとれない

内政の失策

共産党内

- 集団指導体制の終焉、独裁化
- 長老の影響力の低下
- 子飼い部下の粛清
- ロケット軍の汚職問題

国内

- 急速に進行する少子高齢化
- 都市部と農村部の格差拡大

経済の失策

- 5%台へと減速する経済成長率
- 不動産価格の下落と在庫の増加
- 地方の財政難と金融リスク
- IT企業への規制
- 若者の失業率悪化
- 外資の対中投資の減少（反スパイ法など）

外交の失策

- 香港の中国化＝一国二制度の反故
- 台湾で高まる「反・中国」の機運
- G20の欠席（高まるインドの存在感）
- アメリカ主導の安保・経済の対中包囲網
- 一帯一路からイタリアが離脱

- 失策続きの習近平独裁体制がこのまま続くとは思えない
- BAT（バイドゥ、アリババ、テンセント）をはじめ世界的にも有望な企業が自由に発展すれば、経済が好転して現下の問題も解決に向かう
- しかし、それはTikTokなどのSNSの解放につながり、共産党独裁に対する不満の声が渦巻くことになる
- 有効な打ち手は**共産党の自己否定**につながる可能性が高いため、身動きがとれない。習近平氏は遠からず、さらに馬脚を露わして「高転びに、あおむけに転ぶ」

（出所）「週刊ポスト」（小学館）2023/9/15・22　大前研一記事、日本経済新聞

日本はアメリカとの貿易戦争を20年以上戦ったが、あたかも軟体動物のように、叩かれそうになったら反対側を出して叩かせて、アメリカから言われるままに譲歩し、関係を決定的に悪化させなかった。一方、叩いたアメリカにとって、成果になったものは一つもない。鉄鋼から繊維まで日本がすべて妥協したが、だからといってそれらの中でアメリカが強くなった産業は一つもないのだ。要するに、アメリカに対しては戦い方があるのだ。向こうが威張っているときは正面から戦ってはいけない。軟体動物のように切り抜けて、向こうが忘れるのを待つのだ。

しかし、中国は「向こう（アメリカ）が叩いたら、こっち（中国）も叩き返すのだ」という強硬姿勢で、アメリカとの軋轢《あつれき》が止まらない。したがって、日米貿易摩擦のときの日本の経験を共有してあげれば、中国の対応もだいぶ変わると思う。ただし、日本をアドバイザーとして雇うことは、現在の習近平氏のプライドからすればあり得ないだろう。それが問題解決を難しくしている。

世界を席巻するポテンシャルを有する中国企業

実は、中国経済を良くする方法は簡単だ。それは企業に対してもっと自由裁量を与えて経営をさせることだ。

現在の中国企業は、あらゆる分野、特にＩＴ（情報技術）やＡＩ（人工知能）の分野で、アメリカ企業に匹敵する高い競争力を持っている。検索のバイドゥ、ＥＣ（電子商取引）のアリババ、およびその傘下の金融サービス会社アントグループ、ＳＮＳやゲームのテンセント、ＥＣのジンドン、それからスマートフォンやＰＣのファーウェイなどだ。中でもバイドゥやＢＹＤは、テスラに匹敵するＥＶ（電気自動車）メーカーに成長した。また、アメリカの生成ＡＩ企業であるオープンＡＩに対しても、中国にはセンスタイムという優れた企業がある。そのほかにも、平安保険など有望企業は数え上げればきりがない。これらの企業を解放してグローバル化させれば、もっと成長するし、雇用の増加にもつながるだろう。

しかし、そこに共産党の大きなジレンマがある。これらの企業のほとんどは莫大な数のＳＮＳユーザーを持っている。一番多いのはテンセントで、アリババやバイドゥのＳＮＳ

ユーザーをすべて合算すると、総ユーザー数は中国の人口を上回る14億～15億人になると言われている。誰かが習近平氏の悪口や共産党の矛盾をSNS上で騒ぎ立てれば、共産党支配がたちまち揺らぎだす。昔のような群衆蜂起や暴力革命はいらない。だから、共産党はサイバー革命を恐れてこういった企業を押さえつけているのだ。

習近平氏の思考には一つのパターンがある。まず、彼は英語を話す人間が嫌いだ。英語を話す人間は、絶対に共産党と自分の悪口を言っているに違いない。これが彼のコンプレックスの一つなのである。

だから経営者を自由にさせるとろくなことがないと考え、英語の達者なアリババのジャック・マー氏が真っ先にやり玉にあげられた。彼は国際フォーラムの席上で中国政府に批判的な発言をしたことが習近平氏の逆鱗《げきりん》に触れてしまったのだ。そして、アントフィナンシャルの上海と香港での同時上場を準備していた2020年11月の直前に上場中止に追い込まれた。それから彼は蟄居《ちっきょ》し、1年ほど日本に逃げていた。現在はようやく許されて中国に戻っている。アントフィナンシャルの上場も香港でなら可能になった。

それからライドシェアのディディ（滴滴出行）CEOであるジーン・リウ氏は、実はPC大手レノボの会長・柳傳志《りゅうでんし》氏の娘である。ハーバード・ビジネススクール出身、ゴールドマン・サックス勤務と、バリバリのキャリアを持つ彼女がスカウトされて、ディディの

ＣＥＯに就任した。その力を使って２０２１年にニューヨーク証券取引所（ＮＹＳＥ）に上場を果たしたが、やはりバッシングされて２０２２年６月に上場廃止となった。要するに習近平氏は彼女を嫌っているのだ。しばらく蟄居していたら、香港であれば上場してもいいということで、２０２４年に香港取引所への上場を計画している。

このように習近平氏の思考パターンは非常にシンプルだ。

実際、私が英語で中国の起業家と話していると、彼らは決まって共産党や中国政府の悪口をエンドレスに言い続ける。しかし、現在は夜の席でも習近平氏の悪口を聞くことはほとんどなくなった。彼らは今、監視カメラと机の下の隠しマイクを恐れているのである。

これらの会社に自由裁量を与えれば、中国経済はまだまだ発展できるだろう。しかし、その一手が習近平氏と共産党には打てない。中国でＡＩを使わせないのも、〝真実〟が流布しては困るからである。これが習近平氏の陥った最大の自己矛盾だ。

長期独裁の習近平政権に何が起きているのか

習近平氏は今や、ロシアのプーチン大統領や北朝鮮の金正恩《キムジョンウン》総書記とともに「新・悪の枢軸」の一員となっている。

世界では今や民主主義国家よりも権威主義国家のほうが数では上回っており、人口にすれば７割を超えている。だから、強硬的な姿勢は中国だけの問題ではない。

ただし、２０１０年にＧＤＰで日本を抜いて世界第２位の経済大国になり、２０３０年にはアメリカをも追い抜くと言われた中国だが、現在はその兆しがまったくなくなってしまった。中国経済は大幅に減速しているどころか、これから先、成長を維持していけるかどうかも疑問である。

習近平氏は２０２４年６月に71歳を迎える。前述したように、彼の父親は革命の功労者の一人である習仲勲《しゅうちゅうくん》だ。彼は文化大革命で失脚して迫害を受けた。習近平氏自身もこの時期、陝西《せんせい》省の貧しい農村に追いやられ、20代前半まで農業をしながら過ごした。習仲勲は文革後に復活して要職に返り咲いたものの、今度は鄧小平《とうしょうへい》に冷遇され、失意の晩年を送ったという過去がある。この間、習近平氏は駐イギリス大使の娘と結婚したものの、後に離婚した。その後、国民的な歌手で「中国の歌姫」と呼ばれる軍属歌手の彭麗媛《ほうれいえん》氏と再婚した。一人娘の習明沢《しゅうめいたく》氏をハーバード大学ケネディスクールに留学させている。英語を話す人物には厳しくても、自分の娘には英語を話せるように教育しているのだ。

歴代指導者の中で「新たな地位」を模索する習近平

ここで中国の歴代指導者を振り返ってみよう（図37）。

第一世代は建国の父・毛沢東《もうたくとう》である。1949年の中華人民共和国の建国以来、1976年に死去するまで30年近くにわたって独裁体制を敷いたが、晩年は文化大革命を発動して中国全土を大混乱に陥れた。

第二世代は、表向きは首相の趙紫陽《ちょうしよう》や李鵬《りほう》がリーダーだったが、実際にナンバー1として君臨したのは軍を掌握していた鄧小平である。鄧小平は「改革開放政策」に舵を切り、現在の中国が発展する礎を築いた。また、彼はイギリスのマーガレット・サッチャー首相（当時）と交渉し、一国二制度によって香港の返還にこぎつけた。さらに、毛沢東が死ぬまで絶対的な権力を手放さなかった教訓から、集団指導体制と終身制廃止を導入した。具体的には提唱したのは「七上八下」、すなわち「党大会の時点で67歳以下であればもう1期留任してもいいが、68歳を超えていれば2期目は留任できない」という仕組みだ。もちろん3期目など問題外である。

第三世代の江沢民《こうたくみん》は「三つの代表」、第四世代の胡錦濤《こきんとう》氏は「科学的発展観」という社会

図37　習近平氏は建国75年目を迎える中華人民共和国の歴代指導者のなかにおいて、“新たな地位”を模索している

	社会主義思想	主な出来事	引退についての考え方	首相（国務院総理）
第一世代  毛沢東 党主席 1945～1976	毛沢東思想	●1949年10月1日、中華人民共和国の建国 ●1966年、文化大革命 ●1972年、日中国交正常化	事実上の終身制	周恩来
第二世代  鄧小平 党中央軍事委員会主席 1981～1989	鄧小平理論 一国二制度	●1978年、改革開放政策 ●1985年、先富論 ●1989年、天安門事件 ●1993年、社会主義市場経済を決定	終身制廃止を提唱	趙紫陽、李鵬
第三世代  江沢民 党総書記/国家主席 1989～2002	三つの代表	●1997年、香港返還 ●1998年、国家主席として公式訪日 ●1999年、マカオ返還 ●2001年、WTO加盟	「七上八下」 67歳以下であれば留任、68歳以上であれば引退	李鵬、朱鎔基
第四世代  胡錦濤 党総書記/国家主席 2002～2012	科学的発展観	●2005年、反国家分裂法 ●2008年、北京五輪 ●2010年、上海国際博覧会 ●2012年、反日デモが多発	「完全引退」 党総書記、党中央軍事委員会主席、国家主席から全退	温家宝
第五世代  習近平 党総書記/国家主席 2012～	習近平の新時代の中国の特色ある社会主義思想（習思想）	●2014年、一帯一路、新常態 ●2017年、「雄安新区」計画を発表 ●2020年、香港国家安全維持法 ●2022年、北京冬季五輪	慣例を破り69歳で留任 異例の3期目へ（終身制？）	李克強、李強

※＿＿は知恵者ナンバー2

（出所）各種報道・資料よりBBT大学総合研究所が作成

主義思想を掲げて、いずれも鄧小平の改革開放路線を継承した。この間、中国は北京オリンピックと上海万博の開催を実現し、GDPで日本を追い抜いて世界第2位の経済大国に躍進した。

そして、第五世代が現在の習近平氏だ。「習近平による新時代の中国の特色ある社会主義思想」をスローガンに掲げて、アメリカに対抗するただ一つの大国としての姿勢を全面に出すようになった。そして、彼が志向するのは鄧小平が提唱した集団指導体制ではなく、毛沢東時代の独裁体制である。その証拠に、党総書記と国家主席を2期務めた2022年の時点で彼は69歳に達しており、本来は前述した「七上八下」の原則に従って引退しなくてはならなかったが、周知のとおり、これを無視して異例の三期目に突入した。それどころか、2027年以降の四期目続投も視野に入れていると言われている。事実上の終身制である。

強いナンバー1がいる時期の中国の特徴は、ナンバー2に賢い人がいることである。たとえば、毛沢東時代に首相を務めた周恩来《しゅうおんらい》は「これ以上賢い東洋人はいない」と言われたほどの政治家だった。彼は文化大革命の最中に田中角栄首相（当時）との間に日中国交回復を実現したが、当時の中国は世界でも最貧国に属しており、日本との国交回復の目的は技術や資金の導入だった。周恩来の自伝を読むと、大変な努力をして田中角栄について詳《つまび》らかに分析したことがわかる。「こういう言い方をしたら、彼はこう言い返すだろう」「彼はこんなことが好きだ」など、あらゆる応酬話法を周恩来は事前にトレーニングし、国交回復の調印にまでこぎ着けた。会談の最後に田中角栄が「尖閣諸島の問題はどうするのか」と言ったとき、周恩来は「あれは中国のものだ」とは答えずに、「今この問題について議論すると揉めます。あなた方と我々の考えは違う。だから将来賢い人が出てくるまで、この問題は棚上げにしましょう」と言ったのだ。それで田中角栄は国交回復に同意したわけである。

周恩来以外で、中国で最も賢い政治家は江沢民時代に首相を務めた朱鎔基《しゅようき》氏だ。朱鎔基氏は中央銀行である中国人民銀行の総裁を務めた後に首相に就任した。そして、現在の中国大繁栄の礎をつくったのだ。同じ首相でも李鵬や温家宝《おんかほう》氏と比べて、朱鎔基氏は素晴らしい頭脳と実行力を持っていた。

習近平政権1期目と2期目で10年にわたって首相を務め、引退した翌年の2023年10月に急死した李克強も、少なくとも欧米からは最も信頼された中国の政治家であったと思う。彼は「中国の統計は信頼できないのではないか」との外国メディアの質問に対し、「実は私も100％は信じていない。だからセメントの出荷量や鉄鋼の生産量、電力使用量などと合わせて考えている」と答え、その後「李克強指数」として欧米の経済学者がみな使うようになった。このように柔軟かつ現実的な思考を持つ李克強が習近平政権の最初の10年を支えた。

それに引き換え、2023年3月に代わりに首相に就任した李強《りきょう》氏は、元々習近平氏が浙江省党書記だった時代の忠実な側近であったことが縁で現在のナンバー2の地位に引き上げられた人物であり、キャリアも見識も李克強とは比較にならない。実際、2024年3月に行われた全国人民代表大会（全人代）において、最終日に首相による記者会見が開かれるのが通例であるところ、今年からは行われないことが明らかになった。政府の透明性低下と同時に、首相の地位が下がっていることの表れである。

同じ独裁体制でも毛沢東時代は周恩来がいたわけだが、習近平氏にはまさに誰もいない状態となった。

ライバルを粛清・排除した習近平政権の10年

次にこれまでの習近平政権の顔ぶれを振り返ってみる（図38）。

前述したように、習近平政権1期目（2012～2017）の最高指導部メンバーのナ

図38　**習近平3期目政権では、習派が主要ポストを独占、習近平氏のライバルは粛清・排除され、独裁体制が構築されつつある**

中国共産党最高指導部（チャイナ7）の変遷

序列	2012年 1期目	2017年 2期目	2022年 3期目
1	習近平	習近平	習近平
2	李克強 （共青団）	李克強 （共青団）	李強 （習派）
3	張徳江 （上海閥）	栗戦書 （習派）	趙楽際 （習派）
4	兪正声 （無派閥）	汪洋 （共青団）	王滬寧 （無派閥）
5	劉雲山 （上海閥）	王滬寧 （無派閥）	蔡奇 （習派）
6	王岐山 （習派）	趙楽際 （習派）	丁薛祥 （習派）
7	張高麗 （上海閥）	韓正 （無派閥）	李希 （習派）

大粛清が行われた中国共産党新体制（2022年時）

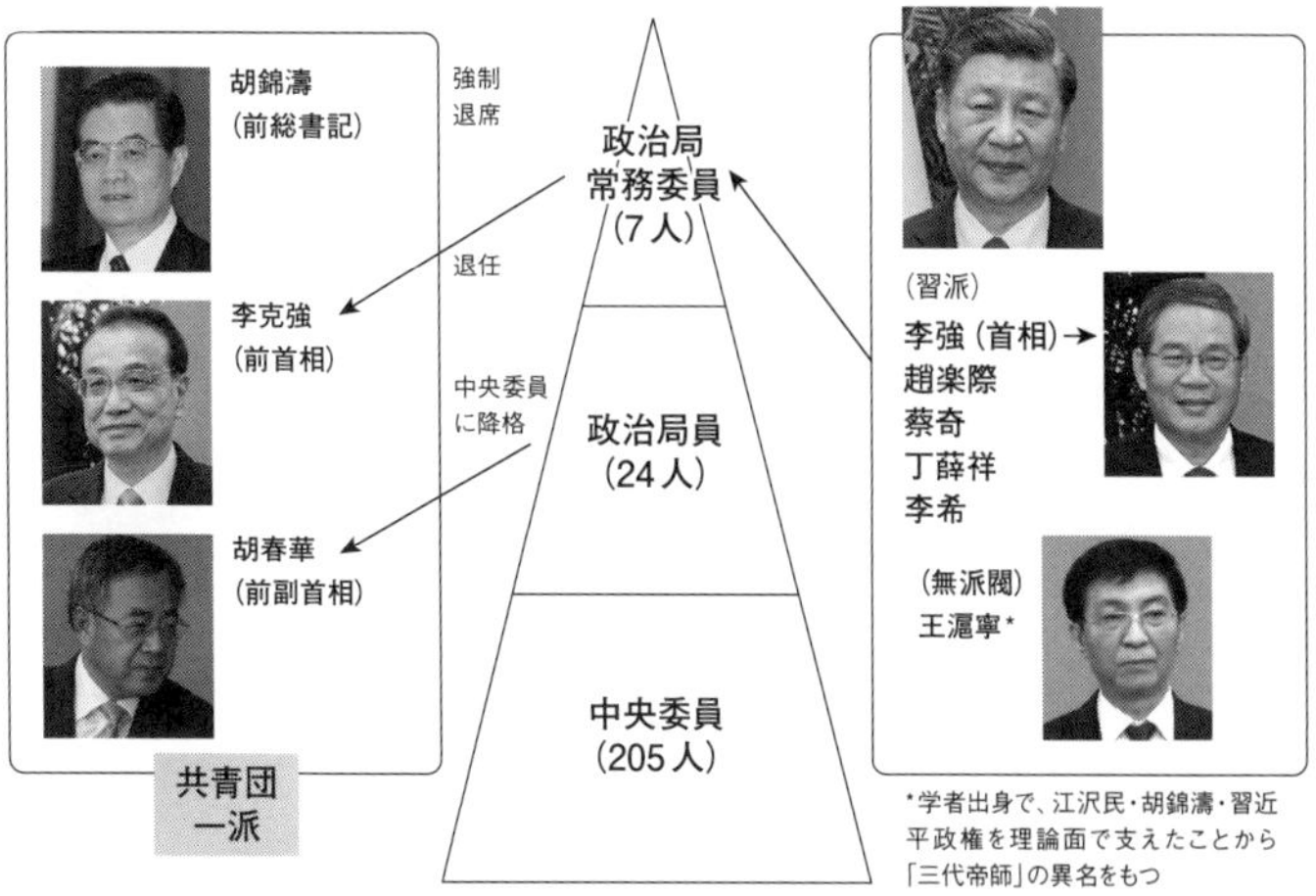

中国共産主義青年団（共青団）：14歳から28歳の若手エリート団員を擁する青年組織
上海閥：中国共産党内の有力派閥、江沢民と彼の上海時代の部下などから形成される
太子党：中国共産党の高級幹部の子弟を中心に構成された派閥

（出所）日本経済新聞、週刊ポストほか各種報道・資料より作成

ンバー2は李克強（共青団）であり、以下、張徳江《ちょうとくこう》氏（上海閥）、兪正声《ゆせいせい》氏（無派閥）、劉《りゅう》雲山《うんざん》氏（上海閥）、王岐山《おうきざん》氏（習派）、張高麗《ちょうこうれい》氏（上海閥）と続いた。共青団出身の胡錦濤氏の後だから、このような顔ぶれになった。

2期目（２０１７～２０２２）の最高指導部メンバーは、栗戦書《りつせんしょ》氏と趙楽際《ちょうがくさい》氏の2人が習派で、留任した李克強と汪洋《おうよう》氏が共青団出身、王滬寧《おうこねい》氏と韓正《かんせい》氏は無派閥とされていた。

ところが3期目（２０２２～２０２７）では、共青団出身者がいなくなり、王滬寧氏一人を除いて全員が習派になった（図38下）。つまり、かつて浙江省や福建省で習近平氏に仕えた人物だけが残ったわけだ。ただ一人無派閥の王滬寧氏は元々学者で、江沢民と胡錦濤氏の頃から政権にいて、彼らの理論を支えた人物である。彼は「三代帝師」、つまり3人の皇帝に仕えた師匠ということで本来は無色透明の人だが、今では習近平氏の顧問的な立場になっている。

このことが習近平政権最大の問題と言える。共青団出身者は引退に追い込まれた李克強だけでなく、「第六世代のホープ」との呼び声も高かった胡春華《こしゅんか》副首相も政権中枢からパージされてしまった。現在の3期目のメンバーがいかに習近平氏の取り巻きだけで固められているかがわかると思う。

その後、２０２３年8月に共産党の長老が集まり、現役の指導者たちにアドバイスする北戴河《ほくたいが》会議が開かれたが、2022年10月の党大会閉会式で強制的に退席させられて以来、動静が不明の胡錦濤氏、その翌月に死去した江沢民を欠いて、影響力の強い長老はもはやいない状態だ。

習近平3期目政権の顔触れと異変

共産党の最高指導部（中央政治局常務委員）の下には、閣僚に相当する国務委員がいる。このうちの一人で、駐米大使だった秦剛《しんごう》氏を習近平氏は政権3期目から外務大臣に昇格させた。

ところが、秦剛氏は英語が堪能であることが仇になり、駐米大使在任中に香港のジャーナリストとできてしまい、2023年6月に子どもが生まれたという噂が広がったが、それ以来行方不明になってしまった。一説によるとパージされたようだ。後任の外相は駐日大使の経験もある王毅《おうき》氏（党中央政治局委員）が兼任することになった。

それから、李尚福《りしょうふく》国防大臣も2023年8月29日以降、消息が聞こえなくなった。すでに新しい国防大臣が就任していることから、彼もパージされたと考えられている。どうやら軍備品調達で着服の疑いがあり、調査を受けて失脚したようだ。

それだけではない。中国の三軍の外側に「ロケット軍」というものがあるが、そのトップ2人が解任された。理由はやはり着服や収賄である。ただし、この2人は核ミサイルの発射ボタンを握るぐらいの重要人物なので、そのような人もパージされている点は見逃せない。現在の習近平政権に人材が払底していることは間違いないだろう。

さらに、これは100％確認された情報ではないが、中国の原子力潜水艦が黄海で沈没したようだ。アメリカはすぐに「助けましょう。今だったらまだ酸素もある」と言ったが、中国は「余計なお世話だ」と断った。どうやら中国は、アメリカやイギリスの原子力潜水艦や潜水艦を捕えるためのトラップを黄海に設置したが、自国の原子力潜水艦がそれに引っかかってしまったようだ。中国側は否定しているが、戻って来なければやっぱりということになるし、戻って来ればアメリカの情報が間違っていたことになる。

首脳外交欠席から見てとれる逼迫する台所事情

習近平氏は2023年9月に開催されたG20に欠席した。このG20はG7に入っていない中国にとって、極めて重要な場である。

２００８年のリーマン・ショックによる世界経済の危機的状況の中、ワシントンで開催されたＧ20の場で、中国が総額４兆元（約57兆円）の景気刺激策をまとめたことで存在感を示し、その後の大発展につながったという経緯がある。

以来、中国は先進国クラブであるＧ７への対抗軸として、Ｇ20を重視しているのだが、今回習近平氏は欠席した。おそらくは不動産バブルを中心とする景気減速、デフレ懸念に対し、有効な景気対策を打ち出す余裕がない状況なのだろう。参加していれば、今度は逆に世界から「中国経済が世界経済回復の足を引っ張っている」と指摘されて、習近平氏のメンツが丸つぶれになった可能性が高い。難局に立った習近平氏を政策面で支えられる改革派の人材を排除してきたツケが回ってきたわけである。まさに自ら招いた孤立だ。

懸念される不動産バブルの崩壊

これまで成長を続けてきた中国経済に異変が起きていることは、誰の目にも明らかである。２０２３年６～８月の実質ＧＤＰ成長率が６・３％となった（図39上）が、前年同期がマイナスだったから高く見えるだけで、しばらくはこのような状況が続くだろう。実質的な成長率はゼロだと思ったほうがいい。

中国経済が抱えている問題は3つある。それは「不動産問題」「若者の失業問題」「外資問題」だ（図39下）。

象徴的なのが不動産不況で、バブルの崩壊リスクが経済回復の足を引っ張っている。中国の不動産大手デベロッパーである恒大《こうだい》集団は2023年8月、アメリカで連邦破産法15条の適用を申請した。恒大集団は2021年に巨額の債務不履行（デフォルト）に陥っており、破綻は時間の問題だった。

また、不況は一企業の問題ではない。同じく不動産大手・碧桂園《へきけいえん》も負債が膨らみ、アメリカにデフォルト宣言されている。負債総額は恒大集団が約48兆円、碧桂園が約28兆円で、中国の不動産全体では1000兆円にも上る。また、地方政府のインフラ投資会社・融資平台では、負債総額が2000兆円に上っているという情報もある。日本が約30年前のバブル崩壊で経験した不動産不況では、230兆円という国費を救済に使い、当時の福井俊彦・日銀総裁が「日本国民のお金を230兆円使わせていただきました」と釈明したが、その8倍以上という、深刻な状況である。これが現在の中国の不動産不況である。取り付け騒ぎが起こるのではないかと、関係者はピリピリしている。

図39　ゼロコロナ政策により中国の経済成長率は低迷、2022年末に解除された後も以前の水準には戻っていない

中国の実質GDP成長率の推移（%、四半期）

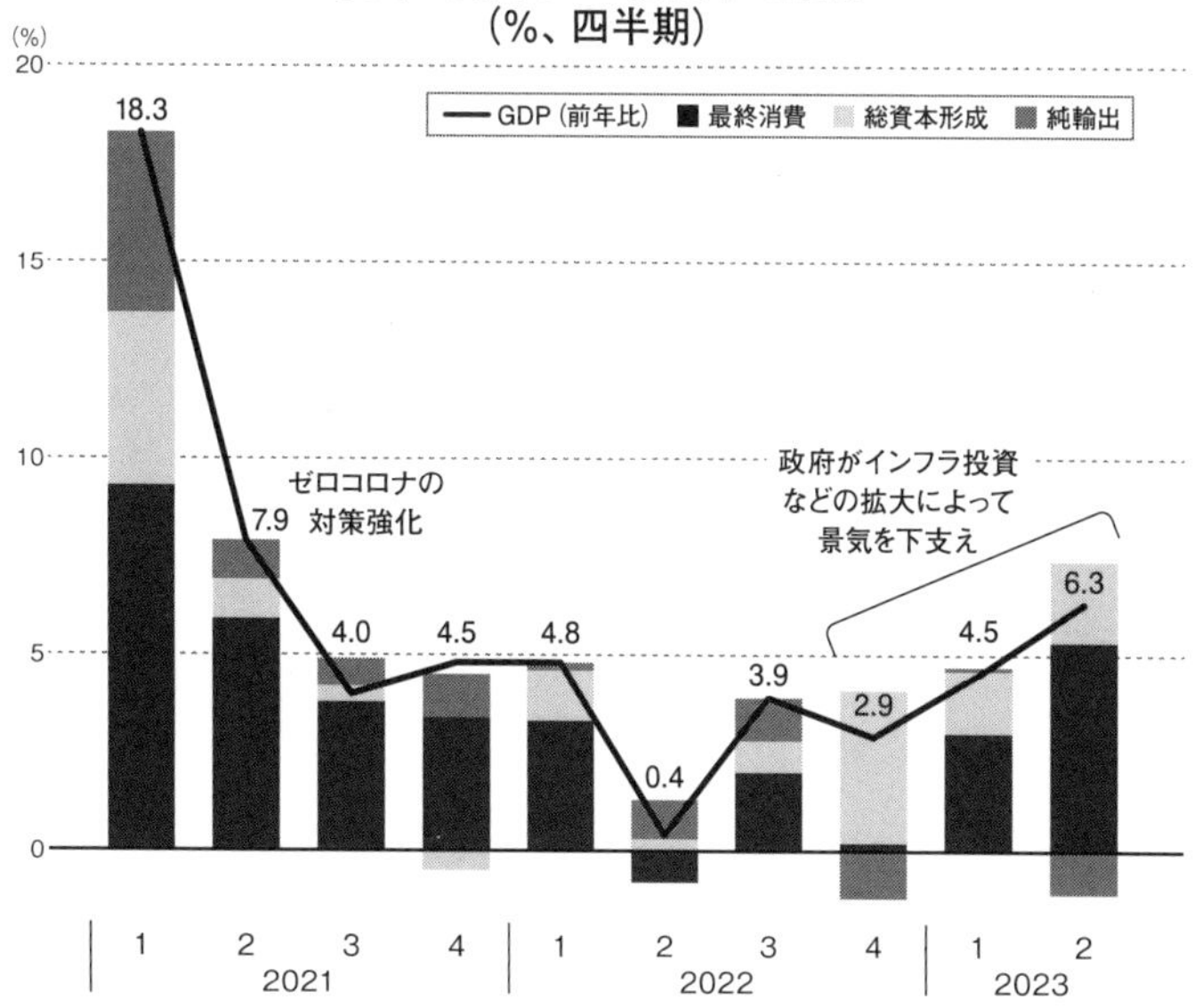

中国経済が抱える3つの問題

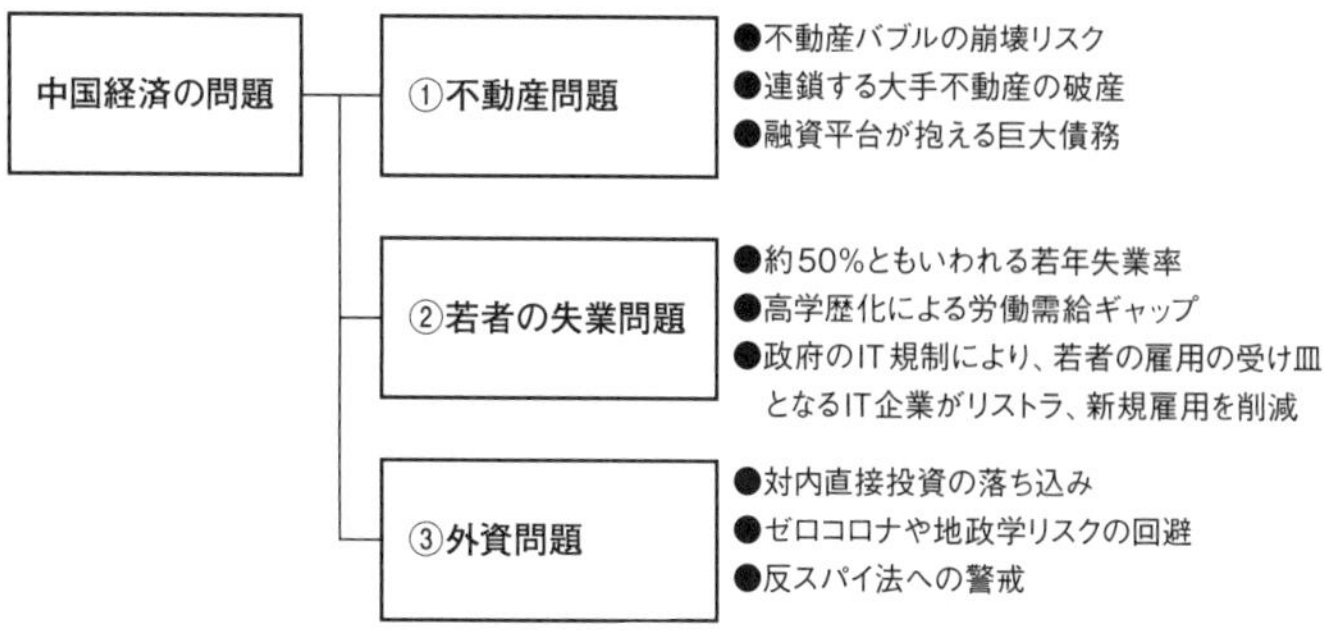

（出所）上／中国国家統計局、下／BBT大学総合研究所

中国の不動産不況が日米よりも深刻な理由

ただし、中国の不動産バブル崩壊は、日本とは原因が異なることに注意が必要だ。

日本の場合はバブル景気で、不動産価格がどんどん上がった。このままインフレが続けば庶民はマイホームを買えなくなる。そのことが社会問題化して、政府は銀行による不動産への貸し付けを締め付ける窓口指導と総量規制を行った。それが不動産不況の引き金になった。その結果、銀行がいくつも潰れた。最盛期には15行もあった都市銀行が3つのメガバンクに集約され、バブルを抑え込んだ。しかし、そのダメージは大きく、日本経済が「失われた30年」を送る原因の一つとなった。

アメリカの不動産不況にも触れておきたい。アメリカは1980年代にS&L（貯蓄貸付組合）危機、2008年にはサブプライムローン問題に端を発するリーマン・ショックが起きており、すでに2回の不動産不況を経験している。そして現在、アメリカでは再び不動産不況に突入する兆しがある。不動産価格が下落し、不動産の抵当価値が失われ、銀行は貸し剝がしを始めた。同時に銀行自体の格付けが落ち、取り付け騒ぎが起きている。性懲りもなく、3回目の不動産に起因する金融危機だ。

それに対して中国はどうか。中国の不動産不況が日本やアメリカのそれと決定的に異なるのは、銀行ではなく「融資平台《ゆうしへいだい》」という投資会社を地方の市が勝手につくって、銀行もどきのことをさせていたことにある。そのため、銀行を潰したり併合させたりすればいいというわけにはいかない。そして買われていた物件が、居住用ではなく投資用であるという点だ。

中国の不動産バブルの背景には、1970年代後半から中国の改革開放を推し進めた鄧小平の「先富論」がある。「先に豊かになれる人から豊かになりなさい」という意味で、中国人はこれを不動産投資で実践した。

具体的に言うと、先に上海でマンションを買った人が、値上がり後、そのマージン（支払余力）を使って買ったマンションを抵当に入れ、浦東など上海郊外に新たな物件を買う。新たに買った物件が値上がりすれば、それを抵当に入れて、また開発中のマンションを買う。それを繰り返すうちに不動産価格の上昇が地方都市に広がり、最初にマンションを買っていた人は見かけ上、金持ちになる。

購入した物件を賃貸に出せるならまだ資金が回りやすい。しかし、中国のマンションは内装工事が終わっていないスケルトンの段階で分譲される。つまり、床や壁に何もないコンクリート打ちっ放しの状態なのだ。当然、キッチンや風呂などの水回りはマンションを購入した人が買い入れる必要がある。中にはエレベーターホールだけできていて、エレベーターが入っていない物件すらある。このような状況なので、人が住めるようにして貸し出すには、オーナーがさらに30％程度の追加投資を行って人が住めるようにする必要がある。しかし、そもそも住宅の供給過剰で借り手もいない。地方都市の開発地区は、今やゴーストタウンを意味する「鬼城《きじょう》」と呼ばれている。

このように、中国の不動産危機の実態は「空き家問題」だ。中国国家統計局の元副局長の賀鏗《ホークン》氏が、「中国には30億人が住めるほどの空き家がある。だから14億人の人口でさえも、これを満たすことはできない」と発言したことはまさに皮肉である。

中国政府がこの問題を解決しないのは、建てかけのまま放棄されてゴーストタウンと化したマンションが膨大にあるからだ。実際、私もこのような地域を中国でいくつも目撃している。

地元の市長は「こういう形でこれだけの人口が住めるマンションを当市もつくります」とモデル地区をつくる。そこに樹を植えて、池もつくって魅力的な居住区をつくる。さらに「バスが開通して、交通も非常に便利になります」などと言って、宣伝するわけである。そして、高所得層がこぞって「買う」と言った。まさに鄧小平が唱えた「先に豊かになれる者から豊かになれ」という先富論の教えを忠実に守ったのである。

マンション投資で豊かになった人々は、その値上がりによって生まれた借入余力を使って、さらにマンション投資を行った。それの繰り返しである。日本人は生涯で30〜40歳のときにローンを組んでマンションを買い、死ぬときにローンがゼロになるという感じだが、中国人はマンション価格が上がっている限り、無限に借りられるのだ。ここに問題がある。

このような不動産が中国全土に溢れて、30億人分のマンションが鬼城と化している。融資平台の債務は約1000兆円（**図40上**）にまで膨張している。しかも、欧米や日本のように土地が自由化されて私有化できる国とは事情が異なる。市が融資平台を通じて開発業者につくらせ、空っぽの段階で売るのである（**図40下**）。この事実を中国の不動産問題を語る人はほとんど理解していない。

日本やアメリカのように住宅に住みたい人がいて、不況の原因が金融機関にあるのであれば、打つ手はある。値段を下げれば借りてくれる人も現れる。しかし、鬼城では値段を下げても追加投資をしなければ、借り手は住めない。交通機関もない。つまり、市場経済理論では買い手は現れないのだ。このように中国の不動産不況は日本や欧米と構造が違うため、誰にも解決できないのだ。もちろん中国の市町村にも、省にも解決できない。中央政府がサービサーのようなことをやれば解決できるかもしれないが、今はそれだけの知恵も余力もないのである。

図40　地方政府傘下のインフラ投資会社「融資平台」の債務額が約1,000兆円にまで膨張、金融システムに飛び火しかねない

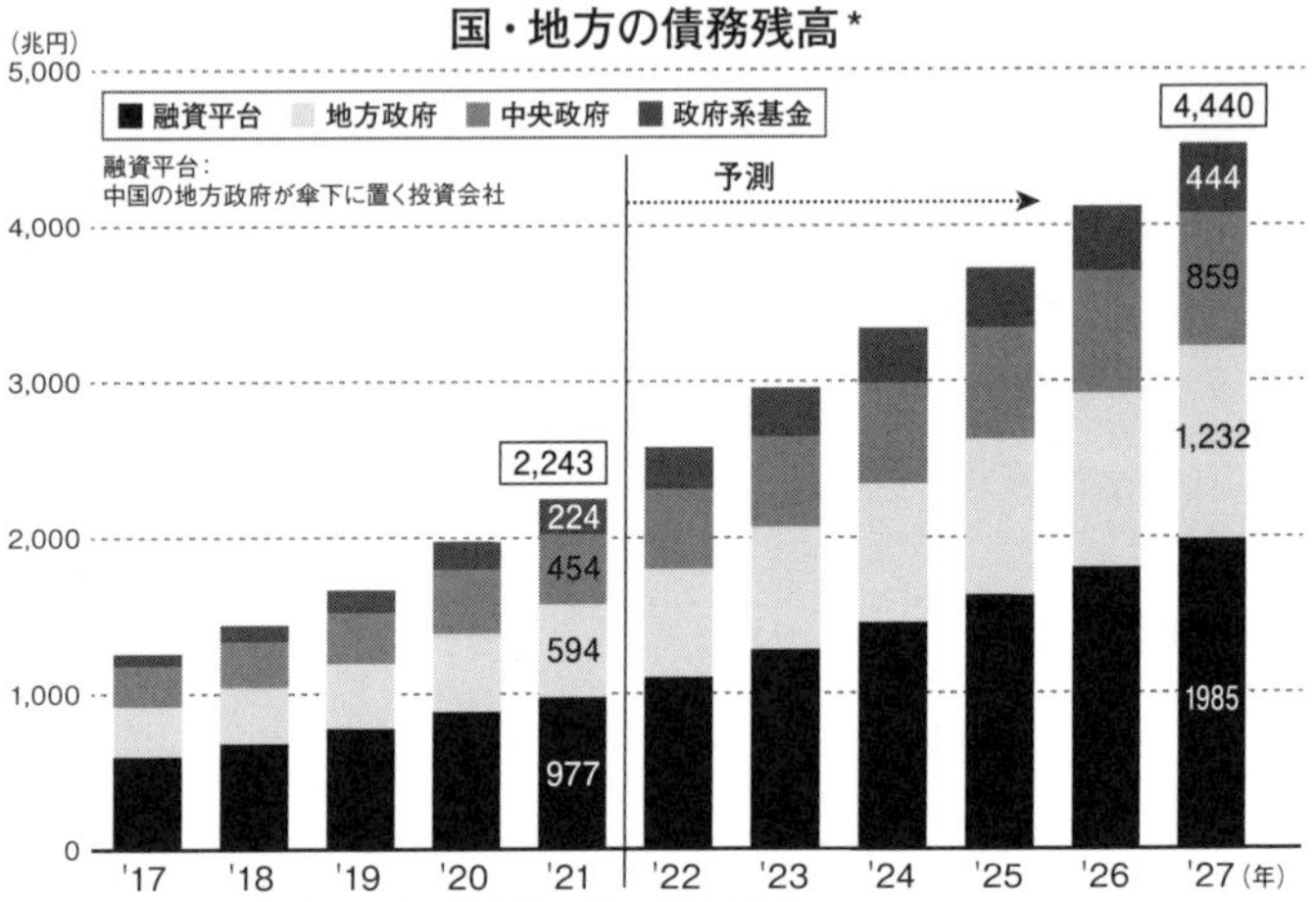

2021年のGDPは約2,094兆円（債務残高*の対GDP比は107%）
2027年のGDP予測は3,030兆円（同対GDP比は147%）
*1元＝19.49円で換算（2022年平均為替レート）

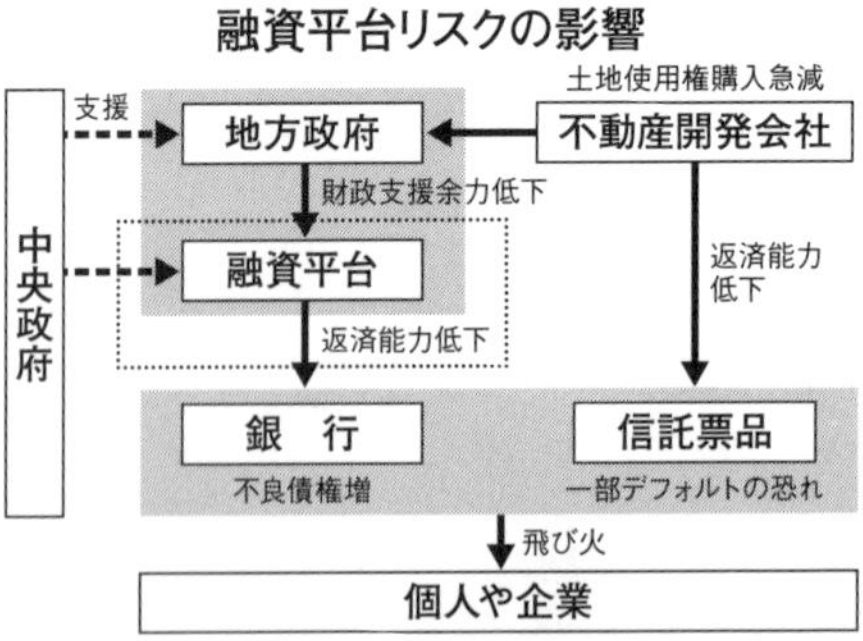

●不動産開発会社の経営難で地方政府の土地使用権売却収入は急減
●土地使用権収入の急減で融資平台に対する地方政府の支援余力が低下
●融資平台が発行する城投債は、個人や企業が投資目的で保有する銀行理財商品や信託商品、公募・私募基金のほか保険会社などが主な買い手
●融資平台リスクは「金融システム」に飛び火しかねない

（出所）上／IMF「IMF Country Report No.23/67 PEOPLE'S REPUBLIC OF CHINA」、下／日本経済新聞

若者の失業問題と増加する「寝そべり族」

次に、実際は50％とも言われる若者の失業問題は、以下のような経緯で起きている。高学歴化によって多くの若者が大学に行くようになった。これまでは新興のＩＴ企業が雇用をつくっていたが、前述したように習近平氏はそのような企業を共産党の存続に関わるということで抑え込んでいる。その結果、ホワイトカラーを採用してくれる企業が減ってしまい、「大学は出たけれど、職がない」という状況に陥ったわけである。

16歳から24歳の失業率が２０２３年６月時点で21・３％と公的に発表されている（図41）。大学の卒業生がホワイトカラーやプロフェッショナルとして増え、約１０００万人いる。卒業後のニート率は２割と言われているが、実際には２人に１人が大学を出ても職を得られていない。

毛沢東の時代は計画経済なので「失業」という言葉さえなく、職のない人は「待業《たいぎょう》」と言われていた。つまり、共産党が与えてくれる「仕事を待っている」時間なのだ。政府から指名されて「この仕事をやりなさい」と言われるまで、仕事をしていなくても待機している状況から失業にならない。

しかし、現在の中国経済は資本主義に移行しているため、職がない人は失業者になる。たとえば、普通の国で2割もの若者が失業していたら、政府に対して暴動やストライキが起こるはずだが、中国でストライキをやれば政府に連行されてしまう。そこで生まれたのが中国流の抗議である、いわゆる〝寝そべり族〟である。

中国で有名な寝そべり族に駱華忠《らくかちゅう》という30代の男性がいて、SNSで数年間にわたって「寝そべりは正義」というタイトルで投稿を行っている。お腹が減ったらちょっと仕事をして、月4000円程度で暮らしていくというわけだ。外でも寝そべり、集団でも寝そべっている写真が話題になっている。女性との交際経験はなく、結婚して家族をつくる予定もないという。競争社会や消費社会に反発するミニマリスト宣言として、中国のミレニアル世代から賞賛を集めるようになり、今や「寝そべりの達人」と称されている。

しかし、この結果、若者の結婚問題がさらに深刻になってしまった。ピーク時の2012年には1300万組いた結婚件数が、2022年に683件とピーク時の51％になり、2023年はさらに減少している。中国は一人っ子政策の影響で女性が少なく男性がへりくだる国なのだが、10年ほど前までは「マンションを1個持っている」のがお見合いの条件だった。その後、個人信用評価システム「芝麻信用（セサミクレジット）」で700点～750点以上ないと、デートしてもらえないとなった。つまり「地獄の沙汰も金次第」と

図41　不動産バブル崩壊とともに若者の失業率も問題化しており、大卒者が増加する一方、卒業しても就職先が見つからない

若年（16～24歳）失業率

（2023年7月以降は公開中止）

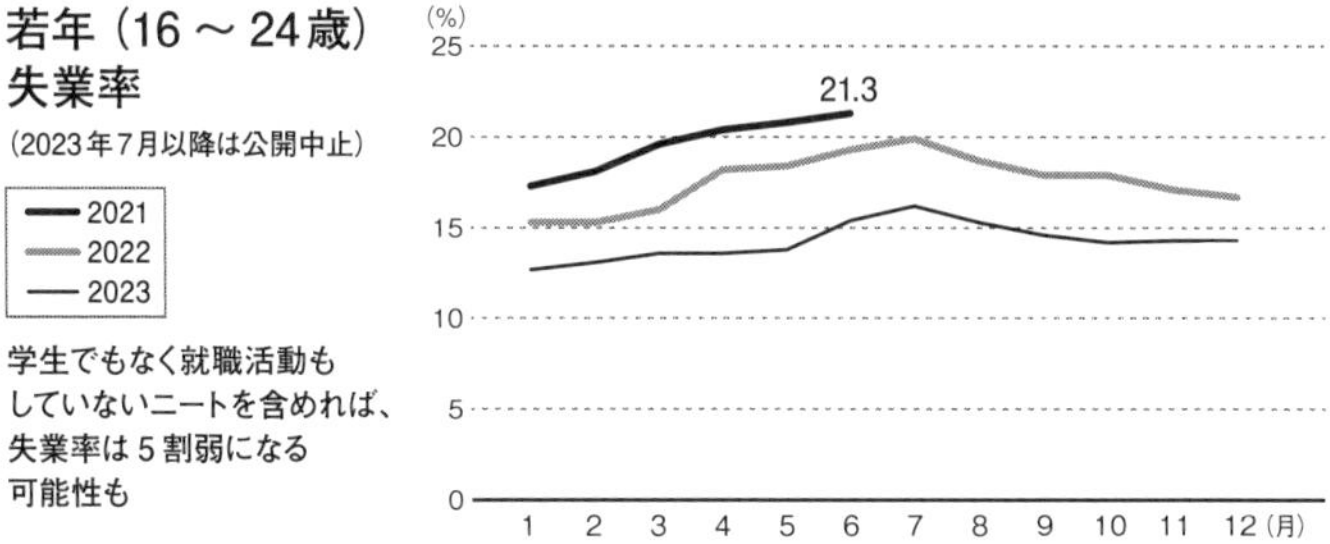

学生でもなく就職活動もしていないニートを含めれば、失業率は5割弱になる可能性も

大学卒業者数の推移

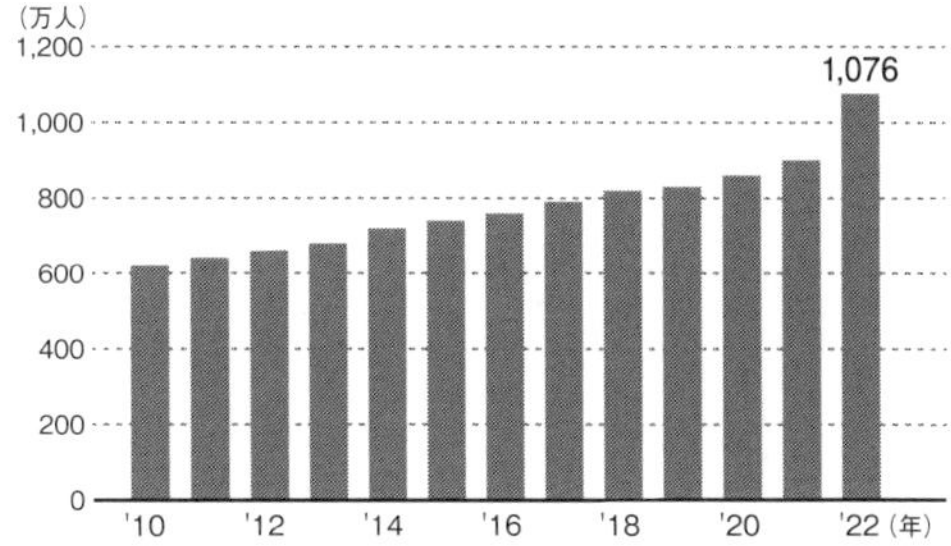

卒業後のニート比率

（「卒業後具体的な計画はない」と答えた大卒予定者の割合）

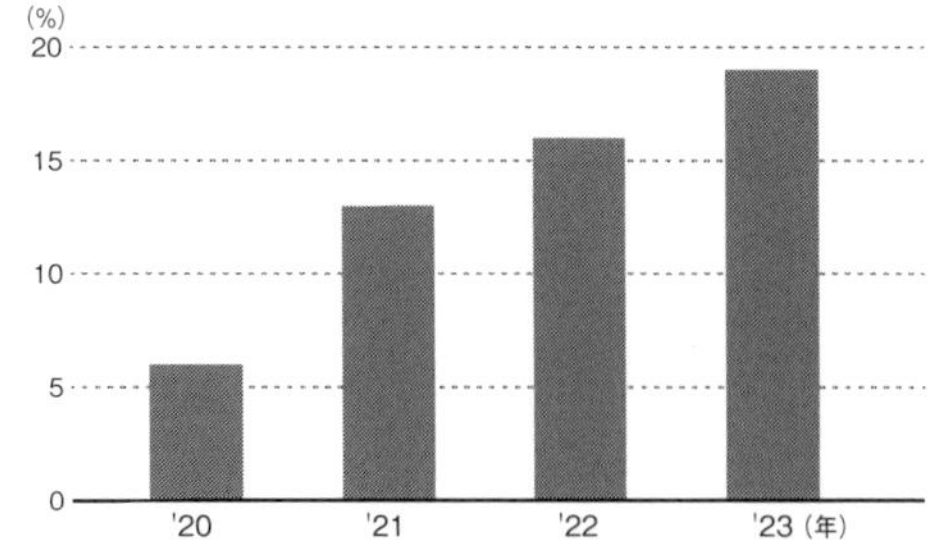

①コロナ禍による就職難を回避するために修士課程の進学枠を2割増やすなど
　高学歴化を推し進めたことで、雇用のミスマッチが起こった
②大卒の雇用の受け皿になる業種が政府の規制で縮小を余儀なくされた
　（2020年11月、アントグループが上場延期など）

（出所）中国国家統計局、中華人民共和国教育部、智聯招聘

なったのだ。しかし、現在は、結婚にはお金もかかるし時間もかかるのであきらめ、寝そべるだけである。中国は人口が多いだけに、その半分が寝そべっていても全体では相当大きな問題である。

25年ぶりの低水準に落ち込む対中直接投資

外資系企業が中国に来なくなったのも問題だ。

2022年は上海のロックダウン（都市封鎖）などのゼロコロナ政策が外資の先行き不透明感を強め、投資が伸び悩む一因となった。2023年に入ると、中国の景気回復の減速により、外資系企業からの投資先としての魅力が低下している。実質的に2022年の3割程度と言われているが、落ち込み具合はかなりのものである（図42上）。メンテナンス投資などもあるため、新規に中国に入ってくる企業はほとんどなくなっている。

理由の一つは米中対立の激化、台湾有事などの地政学的緊張が企業の投資計画に影響を与え、「中国ビジネスをこれ以上拡大するのはリスキーだ」という意識が強くなっている（図42下）。

図42　中国の対内直接投資の水準が25年ぶりの低水準に落ち込んでいる

中国の対内直接投資の推移
（10億ドル、四半期）

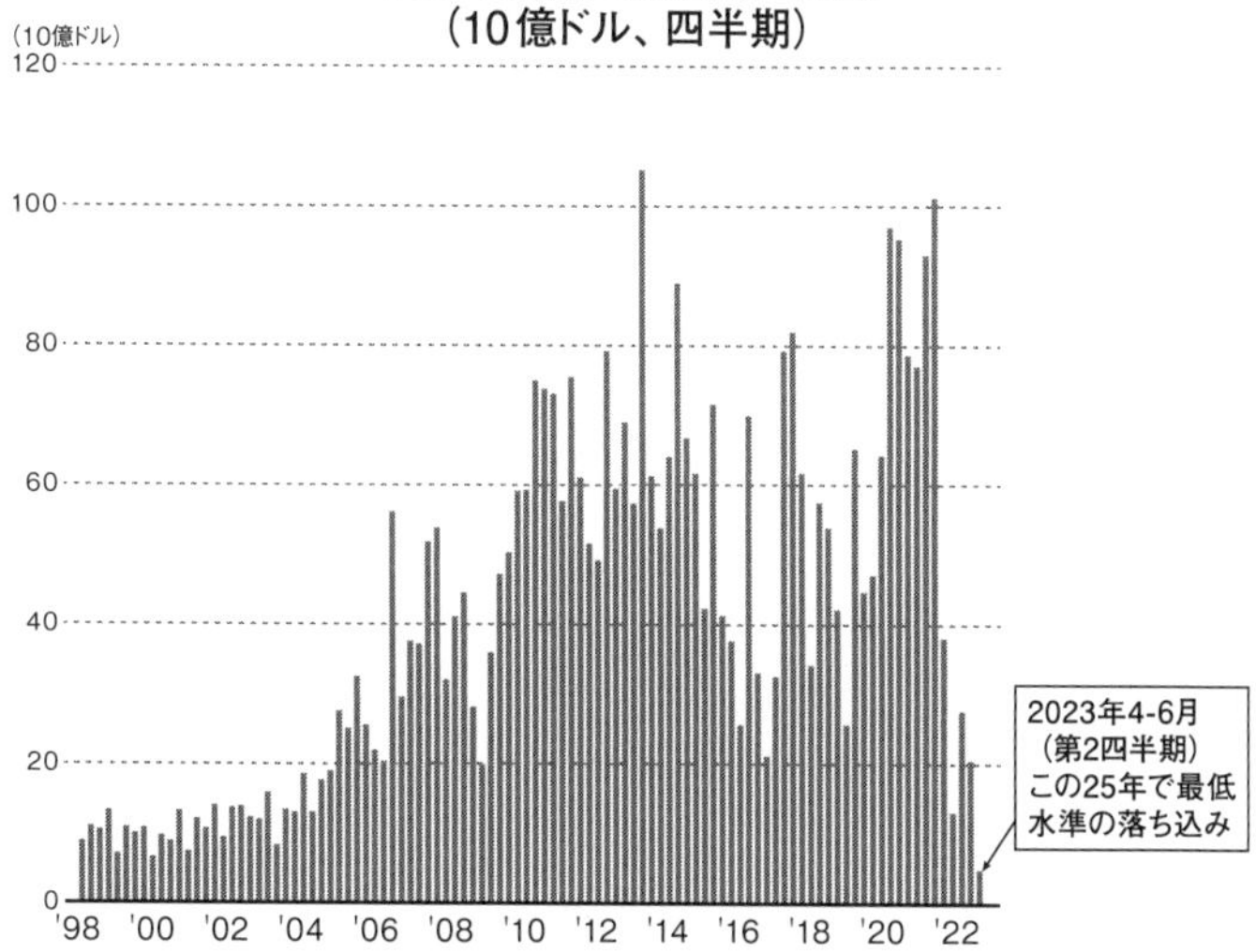

主な対中投資減少要因

2022年ゼロコロナ政策以降の対中投資減少要因

- ●2022年は上海のロックダウン（都市封鎖）などの「**ゼロコロナ**」**政策**で外資が先行き不透明感を強め、投資が伸び悩む一因となった
- ●2023年に入り、**中国の景気回復の減速**により外資企業からの投資先としての信頼感低下
- ●**米中対立の激化・地政学的緊張**が企業の投資計画に影響を与えている
- ●中国の対外開放姿勢への疑念

今後想定される対中投資減少要因

- ●アメリカ側の**対中投資規制**強化
  - **半導体、AI、量子技術**などに関する対中投資規制
  - M&A、PEファンド、VC、合弁事業などによる投資を規制対象
- ●改正反スパイ法の影響

（出所）上／Bloomberg、下／日本経済新聞ほかより作成

また、地場企業が強くなっており、実際に進出してもかなわないという複合的な要因がある。

特に日本企業の場合、２０２３年7月1日から施行された「改正反スパイ法」の影響が大きい（**図43上**）。同年3月には大手製薬会社の幹部も逮捕された。

改正反スパイ法をよく読んでみると、国家安全の人民防衛線を構築するためであり、国家の安全と利益に関わる情報提供などはスパイ行為だとされている（**図43下**）。つまり、報道機関はスパイ行為を伝えてはいけないということだ。ここが一番の問題である。つまり、「スパイ行為ではないか」と思われることを見聞きした人は、当局に通報する義務があるのだ。

そうすると、中国に詳しい日本企業の駐在員が一番危ない。なぜかと言うと、そのような人は色々な情報を持っていて友達もたくさんおり、話を聞いている相手に通報されることもあるからだ。過去には、北朝鮮について読んだことを語って通報されたケースもある。当局の説明では、『環球時報』や『人民日報』に出ていないことを言ったからスパイ行為に当たる、というわけだ。

だから中国に詳しければ詳しいほど、中国人の友達がいればいるほど、危なくなるという構造になった。本来であれば「国家の安全と利益」の定義をきちんとしてもらわないと

図43　**中国の改正「反スパイ法」の施行で、外資系企業の中国で活動するリスクが高まり、対中投資が冷え込む可能性が高い**

中国の反スパイ法をめぐる動き

2023年3月	中国当局が反スパイ法違反の疑いでアステラス製薬の日本人社員を拘束
4月	日中外相会談で日本側は同社員の早期解放を要求 改正反スパイ法が成立
5月	江蘇省蘇州市の地裁がアメリカ国籍男性にスパイ罪で無期懲役の判決
6月	陳一新・国家安全相が反スパイ法を重点活用すると表明
7月	改正反スパイ法が施行

日本企業だけでなく、アメリカのコンサルティング会社（キャップビジョン）にも家宅捜査が入り、アメリカ企業にも反スパイ法への警戒感が強まっている

「改正反スパイ法」の主な内容

2条	総体国家安全観を堅持し、国家安全の人民防衛線を構築
4条	国家の安全と利益に関わる情報提供などはスパイ行為
9条	反スパイ活動の貢献者を表彰
13条	報道機関は反スパイを宣伝教育
16条	スパイ行為発見時の通報義務
24条	当局はスパイ広義の疑いがある人の手荷物など調査
33条	国家安全に危害を与えうる国民の出国禁止

- 「国家の安全と利益に関わる文書、データ、資料、物品」は、すべて国家機密と同様に保護対象となった
- 国家の安全と利益の定義は明示せず

（出所）日本経済新聞ほかより作成

困るのだが、未だにこれがない。だから、香港から日本に留学していた学生がＳＮＳで色々なことを書き込み、香港に帰ったら逮捕されたということが起きる。日本留学中にＳＮＳで書き込んでも中国政府はチェックしているのだ。

このような状況であるため、日本企業は大切な社員を危険にさらすようなことはできないという状況になっているのである。

周辺諸国との軋轢を生む、習近平の野心

現在の習近平氏の頭の中にあるのは、中国の歴史上最大の版図を誇った清王朝の領土を回復したいということである。

２０２３年8月に中国が発表した地図には、インドとの境界線を中国の主張どおりに引いており、九段線が十段線に拡大されている。ベトナム、インドネシア、マレーシア、さらにフィリピンは国際法で違法と言っているのに、平気で飛行場までつくっている状況だ。尖閣諸島についても中国の領土であると書いている。

習近平氏の頭の中には「中国史上、最大の皇帝になりたい」という思いがある。こうし

た問題が周辺諸国と軋轢を生んでいる。

混迷を深める中国と、日本はどう向き合っていくべきか

では日本は今後、中国とどうつきあっていくべきか。

中国に住む在留邦人の数は２０１４年をピークに減少傾向にあるが、今後は急速に減少していくと思われる。やはり「反スパイ法」の存在は現地の日本企業にとって非常に重荷であることと、ＥＶやＩＴ、家電、アパレルなどは中国の地場企業がかなり競争力をつけており、日本企業が現地に行ってもなかなか勝ち目がない。

ただ、中国以外に日本企業が海外進出できるような国があまり存在しないのも事実だ。なにしろ人口の半分が寝ていて働かなかったとしても、なお6億人という巨大な労働力を擁している国は、世界を見回しても他に存在しないのだ。ベトナムは中国の広東省より就業人口が少ないし、ユニクロがバングラデシュで生産を行っているものの、インフラが整備されていないため、納期がゆったりしている商材はともかく、ジャストインタイムが求められる商材の生産は中国以外では不可能だろう。

中国は全体主義国家なので、共産党の鶴の一声であっという間にインフラを整備することができる。改革開放の初期は、香港から上海にトラックで化粧品を送るのに9日かかったが、現在ではわずか1日で行って帰ってこられるという状況だ。中国のインフラはバングラデシュやインドネシアとは大違いなのだ。

したがって、中国に代わる国はないと言えるのだが、今後はこれまでのようにはいかないだろう。

国民の不満をそらすために対日強硬姿勢の可能性

中国政府は、国民の不満をそらすために、対外的に突如として強硬姿勢になることがある（図44上）。とくにアメリカに追従外交をしている日本をターゲットにして叩くことは常套手段だ。実際、過去3回起こっている（図44下）。

まず、2005年5月、当時首相だった小泉純一郎氏が靖国神社に参拝すると、中国全土の主要都市で反日デモが起こり、一部は暴徒化した。

次に、2012年9月、当時の民主党政権が尖閣諸島を国有化したときである。このと

図44　習近平氏は国民の不満をそらすため、対外的な強硬姿勢（特に対日本）を強めていくことが予想される

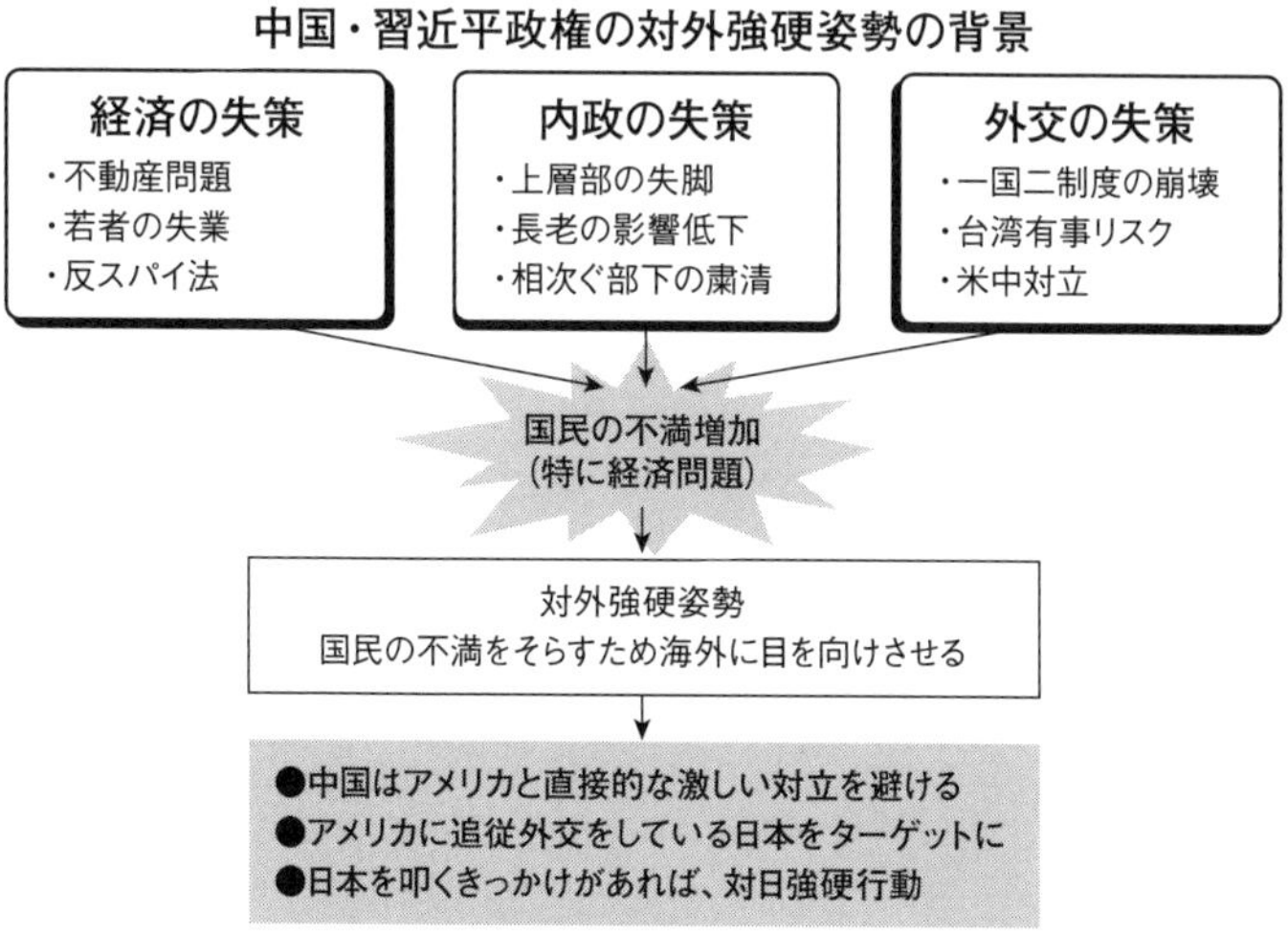
中国・習近平政権の対外強硬姿勢の背景
経済の失策
・不動産問題
・若者の失業
・反スパイ法
内政の失策
・上層部の失脚
・長老の影響低下
・相次ぐ部下の粛清
外交の失策
・一国二制度の崩壊
・台湾有事リスク
・米中対立
国民の不満増加
（特に経済問題）
対外強硬姿勢
国民の不満をそらすため海外に目を向けさせる
●中国はアメリカと直接的な激しい対立を避ける
●アメリカに追従外交をしている日本をターゲットに
●日本を叩くきっかけがあれば、対日強硬行動

対日強硬が強まった主なケース

	きっかけ	背景	対日強硬・反日活動
2005年5月	小泉純一郎首相（当時）による靖国神社への参拝	●所得格差 ●蔓延する汚職 ●ネット言論空間の急拡大	●主要各都市で反日デモ ●一部で暴徒化
2012年9月	日本の尖閣諸島の国有化（民主党政権時）	●胡錦濤政権から習近平政権への移行期 ●党内の権力争い	●各地で反日デモ ●日系の百貨店や工場、日本料理店に襲撃
2023年8月	東京電力福島第一原子力発電所処理水の海洋放出	●国内不況 ●不動産問題 ●若者失業 ●習近平孤立化	●日本の水産物輸入禁止 ●処理水に対する抗議活動

ただし、処理水問題自体は、別途科学的な検証が必要
・福島第一原発は、「メルトスルー」した原子炉の汚染水が対象
・正常運転している原発処理水のトリチウムの国際比較だけでは不十分
・IAEAトップも政治的バックグラウンドの人物で、IAEAの安全性では弱い

（出所）上／「プレジデント」（プレジデント社）2023/9/29 大前研一記事、下／日本経済新聞

きは中国各地で反日デモが起こっただけでなく、日系のデパートやスーパー、工場、日本料理店などが襲撃された。

さらに、2023年8月、福島第一原子力発電所の処理水の海洋放出問題では、日本産の水産物の輸入禁止で300億円ほどの損失が出た。

このように、中国では突如として政府主導の反日運動が湧き起こるというリスクがある。福島の問題は徐々に反日のトーンが弱まり、SNSのトラッキングが下がったが、中国には依然としてこのような問題があるということだ。大手製薬会社の幹部が逮捕されたときも、「中国は法治国家なので、法に基づいて粛々と」と毛寧《もうねい》報道官は述べていたが、実態は法治国家とはとても言えない状態である。

細くなった中国政府との人的パイプ

日本と中国がどのような関係を築くにしろ、欠かせないのは人脈である。しかし、残念ながら、現在の日本には、中国に太いパイプを持つ人がいなくなってしまった。

外務省では、親中の「チャイナスクール」がかつては一大勢力だった。しかし、民主党政権のときに実業家の丹羽宇一郎氏を中国大使に起用してから、パワーバランスが崩れて省内での力を失った。

日本の政治家や官僚、ビジネスパーソンに中国と人脈を築きたいという思惑があっても、現在の習体制の下では厳しい。以前は地方政治で経験を積んで中央政府へと続く出世ルートがあった。共産党の中枢にパイプが欲しい日本人は、これから出世すると見込んだ地方政府の有力な書記や省長、市長と親交を深めた。しかし、このルートも習体制になってから機能しなくなり、目立つ人物はむしろ粛清の対象になっている。

中国と意思疎通したければ、トップの習近平国家主席と直接話すしかないが、それをできる日本人がかつては3人いた。

1人は田中真紀子氏である。父親の田中角栄が日中国交正常化を果たした恩人だからだ。ただし、彼女はもう政界を引退している。

2人目は、創価学会の池田大作名誉会長である。彼は中国で布教するために相当な額の寄付をした。また、公明党は憲法9条改正反対のスタンスなので、中国にとって都合のいい「日本の再軍備反対」とも符合している。ただし、池田氏も2023年11月にこの世を去った。

3人目は自民党の二階俊博氏だ。彼は旧田中派の中国人脈を引き継ぎ、経営者を200

0人ほど連れて訪中するからである。しかし、朝貢《ちょうこう》外交に近いビジネスライクな関係であり、政治家として評価されているわけではない。

このようにかつてのパイプも細っているので、やはり日本として、中国との新たなパイプをつくる必要があるだろう。

中国と巧みに外交をできる政治家が育たないのは、中国への理解や関心が希薄だからだ。普段仲良くない、どちらかというと嫌いな奴が困ったときだけ近寄ってきても、鬱陶《うっとう》しいだけだろう。

日中関係は健全な状態に保っていきたい。対中問題で机上の空論を語るのではなく、まずは最低限、中国に関心を持って知ろうとする姿勢を日本の政治家には持ってもらいたいものだ。中国をアメリカのレンズを通して見るのではなく、2000年来の友人として見ることのできる人材の育成が、今一番求められているのではないだろうか。

中国問題解決のための4つの分岐点

最後に、「私が習近平だったらどうするか」という視点で、現在中国が抱える問題の解決策について考えてみよう。

私はこれまでいくつかの国でアドバイザーを務めてきたが、これらの問題は経営コンサルタントである私の立場から見ると、解決はシンプルだ。

まずは中国の現状、つまり経済、内政、外交については、難しい問題ではあるが、次の4つの視点から解決を目指すことが可能だ。

1番目は「Business as usual」、2番目は「組織論を駆使する」、3番目は「イデオロギーを転換する」、4番目は「一国二制度から一制度（資本主義）に転換する」である。

1．「Business as usual」

これは要するに、共産党が土地を所有していることに対し、私有化も含めて対策を検討していくということである。中国は内政上、さまざまな問題を抱えているといっても、諸外国と比べれば、まだマシな状況だ。

たとえば、アメリカは内部分裂状態で、ウクライナや中東の問題で動きが取れない。また、国民の半分が合成麻薬であるオピオイド中毒で苦しんでいる状況だ。また、EUも結束を欠いて覇権上の対抗馬にならない。ロシアはウクライナ侵攻でやはり国家分裂状態にあり、ＣＩＳ諸国が離反する動きもある。グローバルサウスの盟主と言われるインドも、経済や人材、ポテンシャルの面では有望だが、まだ大国として覇権を争う相手ではない。

つまり、中国は焦らなくても、このままでいいのではないか。そう判断できれば、台湾有事も避けられる。台湾有事を引き起こせば、中国は一気に世界を敵に回す。肝いりの一帯一路やアジアインフラ投資銀行から、周辺国は離反することになるだろう。台湾に対する強硬姿勢も台湾独立機運を高めるだけで中台双方に不利益となるため、緩和して経済・産業を中心に台湾との関係改善を図るべきである。

そして、国内の指導部人事を刷新することである。すべての問題がそこにあるからだ。独裁体制を集団指導体制に戻し、能力や実力のある人材を引き上げる。そして、共青団の若手を政権に復帰させる。さらに下から叩き上げで実績をあげてきた経営力のある地方の市長や省長、書記たちを登用する。つまり人事改革を急ぐのだ。経営者であれば、人事に手をつけるのが第一であろう。

2. 組織論を駆使する

2番目は組織改革に着手することだ。すなわち、共産党による中央集権体制から、中華連邦制、つまり「コモンウェルス・オブ・チャイナ」の形に変える。具体的には、中国全体を6～7つの地域に再編し、それぞれに三権の一部を与えるのだ。そうすれば中央政府がすべての問題を解決しなくても、地方政府が地域の問題を解決し、互いに世界から「ヒト」「企業」「カネ」「情報」を呼び寄せるために競い合うだろう。国の中で競い合い、皆が習近平氏の顔色をうかがう状況から別な視点に持っていく。その方向で組織を変えるのだ。

私はかつて2002年に『中華連邦』（PHP研究所）という本を書いた。中国政府はこの本が気に入らず、「連邦」という言葉を禁止するようになった。当時、中国の政府系シンクタンクである社会科学院の委員が私のところに飛んできた。「連邦はまずい」「いや、中華連邦ができれば、台湾もそこのグループに入りますから」と私は言った。当時の李登輝《りとうき》総統にも説明し、「中華連邦であれば、北京を盟主にしても問題ないのではないですか」と私が言ったら、彼は「いい」と言ったのだ。

私はそのようなアドバイスをして、大手を振って中華連邦に関する本を書いたのだが、中国側が怒って「連邦」という言葉そのものを廃止にした。社名に「連邦」がついた運送会社も社名を変更させられた。その会社には申し訳ないと思っているが、中国はこのような組織変更はさすがにやらないかもしれない。

3．イデオロギーを転換する

3番目はイデオロギーの転換だ。つまり、共産党一党独裁体制から民主主義国家への転換である。政府の指導者や指導理念を国民が選ぶようにするのだ。

独裁体制から民主化への転換を図った先輩として、台湾にもアドバイスをお願いすれば、台湾を融和的に取り込むことができるだろう。

4．一国二制度から一制度（資本主義）へ転換する

最後は「一国二制度から一制度（資本主義）への転換」である。特に土地の私有化の問題については、日本が明治時代に行った廃藩置県と地租改正、さらに第二次世界大戦後にダグラス・マッカーサーが行った農地改革が非常に参考になる。国がすべてを所有しているところに問題があるので、資本主義体制に持っていくというやり方だ。

当然、この中には国営企業の民営化も含まれる。中国の大企業の多くが国有企業であり、非効率な企業も多い。世界各国の国有企業民営化の事例を参考にすべきだ。イギリスなら、鉄鋼や電力、日本ならNTTやJR、JT、郵政の事例がある。

また、融資平台の負債は2027年に2000兆円まで膨れ上がることが予想され、放置しておけば深刻である。日本も1990年代にバブル崩壊で経済がひっくり返ったとき、

海外からサービサー（債権回収会社）が入ってきて、解決した。そこでブラックロックのラリー・フィンク氏などを呼んで、２０００兆円の負債を２００億円くらいで買って、30年ほどかけてこれをほどいていく。サービサーがくれば、これが可能なのだ。ただ、その場合は土地の私有化が認められる必要がある。

以上のような４つの方法を実施するには、国際的なオンブズマン組織をつくり、そのような人たちのアドバイスに基づいて実施していく必要がある。習近平氏自身に知恵がなく、中国国内の人材では足りない知識もあると思われるからだ。

私は、中国が抱える問題は解決可能だと考えている。ただ、現在の習近平指導部のメンバーからは解決の発想さえ出てこないだろう。ただし、解決策はあるのだが、安易に手をつけると、習近平氏や共産党支配の否定につながるところに根深い問題がある。

第4章をもっと深く理解するためのキーワード

一帯一路

中国の習近平国家主席が2014年から提唱する広域経済圏構想。中国西部から中央アジアとヨーロッパに続く陸路の「シルクロード経済ベルト」(一帯)と、中国沿岸部と東南アジア・インド・アラビア半島・アフリカ東を海路で結ぶ「21世紀海上シルクロード」(一路)からなる。

AIIB(アジアインフラ投資銀行)

Asian Infrastructure Investment Bankの略称。中国が提唱して主導するアジア向け国際開発金融機関。2015年に57カ国を創設メンバーとして発足し、2023年1月現在、加盟国は106カ国・地域とされている。主な業務は、アジア新興国などのインフラ開発のための融資を行うことで、資本金の目標は1000億ドル。「シルクロード経済ベルト」として活性化を目指す中国の「一帯一路構想」に基づき、日米が主導するADB(アジア開発銀行)では賄いきれないほど増大するアジア地域のインフラ整備のための資金ニーズに補完的に応えることを目的とする。なお、日本やアメリカは、そのガバナンスの不透明性や信用力への懸念から、参加を見送っている。

中国共産党中央政治局常務委員会

中国共産党の最高意思決定機関。憲法において「中国共産党が国家を指導する」と規定されている中国においては事実上、国家の最高指導部に相当する。党のトップである総書記、国務院総理（首相）、国家主席（国家元首）、全国人民代表大会常務委員会委員長（国会議長）、中国人民政治協商会議全国委員会主席、中国共産党中央軍事委員会主席などの重要ポストはこのメンバーから選ばれることが多い。メンバーは5年に一度開催される党大会で選出される。これまで7人で構成される場合が多かったため、海外メディアでは「チャイナセブン」と称される。

共青団（中国共産主義青年団）

中国共産党の青年組織で、14歳から28歳の若手エリートを擁し、実践を通して中国特有の社会主義・共産主義を学ばせる教育機関として機能。これまで胡耀邦（総書記）や胡錦濤（総書記、国家主席）、李克強（首相）ら、改革派の最高幹部を多数輩出している。

毛沢東（1893～1976）

中華人民共和国の建国者。湖南省出身。１９２１年の中国共産党創設に関わり、国共内戦を勝利に導いた。1949年10月に中華人民共和国の建国を宣言し、中央人民政府主席に就任。絶対的な権威とカリスマ性を持つ独裁指導者として君臨した。1958年からの鉄鋼などの大増産計画「大躍進」に失敗して数千万人の餓死者を出したほか、1966〜1976年には文化大革命を進め、国内を大混乱に陥れた。

鄧小平（1904〜1997）
四川省出身。フランス留学中に中国共産党に入党。帰国後、長征・抗日戦に参加。1956年以来、党総書記・中央政治局常務委員などを歴任。文化大革命と1976年の第一次天安門事件で二度失脚したが、江青ら四人組追放後に復活。1981年に国家中央軍事委員会主席に就任して最高実力者となった。改革開放、一人っ子政策などで毛沢東時代の政策を転換し、現代の中国発展の路線を築いた。

江沢民（1926〜2022）
江蘇省出身。モスクワに留学し、技術官僚としての道を歩む。1985年上海市長に就任。1989年の第二次天安門事件で当時の趙紫陽総書記が失脚したのち、最高実力者・鄧小平の推挙で総書記に抜擢され、1993年には国家主席にも選出された。鄧小平の路線を推進し、1990年代の改革・開放を積極的に推進した。1997年の鄧の死後も指導的な地位にあって、鄧の後継者としての地位を確立した。

胡錦濤（1942〜）

安徽省出身。清華大学卒業。1964年に中国共産党に入党。1992年に中央政治局常務委員、1998年に国家副主席、2002年に党総書記に就任。2003年に国家主席に選出され、2005年3月に国家中央軍事委員会主席に就任、党・国家・軍の三権を掌握した。

周恩来（1898〜1976）

江蘇省出身。日本に留学後、天津で五・四運動に参加。のち、パリ留学中に中国共産党フランス支部を組織。第二次世界大戦中は国共合作・抗日統一戦線結成に活躍。1949年の中華人民共和国成立後は初代首相として、死去する1976年まで一貫して在任し、内政と外交の両面で辣腕を振るった。

朱鎔基（1928〜）

湖南省出身。1951年清華大学電機工学部卒業。1988年上海市長、1989年同市党委員会書記を兼任し、浦東新区の経済開発を指導。柔軟な発想により「中国のゴルバチョフ」と西側で評された。1991年副首相に昇格し、国営企業の連鎖債務問題を扱い、のち中国人民銀行総裁を兼務。1998年首相となり、江沢民政権を支えた。

李克強（1955～2023）
安徽省出身。北京大学で経済学博士号を取得した理論家として知られ、共産党のエリート養成組織である共産主義青年団（共青団）のトップを務めた。同じく共青団出身の胡錦濤前国家主席に引き上げられて、2007年に最高指導部入りし、2013年に首相に就任。その経済政策は「リコノミクス」と一時脚光を浴びたが、習近平氏への権力集中に伴い、首相としての存在感は限られていた。

李強（1959～）
浙江省出身。17歳で労働者として働き始め、地元の農業大学を卒業後、中国共産党に入党。たたき上げの役人として、浙江省内の県・市政府でキャリアを重ねる。習近平氏が浙江省党委員会書記を務めた時代に秘書として仕える。以後、浙江省長、江蘇省党委員会書記、上海市党委員会書記を歴任。2022年10月の党大会で共産党の最高指導部である政治局常務委員会入りを果たし、2023年3月の全人代で首相に就任した。

G20
Group of Twentyの略称で、G7に参加する7カ国にEU、および新興国12カ国の計20の国々と地域から成るグループ。フランス、アメリカ、イギリス、ドイツ、日本、イタリア、カナダ、EU、アルゼンチン、オーストラリア、ブラジル、中国、インド、インドネシア、メキシコ、韓国、ロシア、サウジアラビア、南アフリカ、トルコで構成される。首脳会合、財務相・中央銀行総裁会議が開催されている。

融資平台

中国各地の地方政府が抱える投資会社。中国では地方政府の債券発行が規制されているため、それぞれ系列の融資平台を通じて資金を調達し、インフラ投資などを行ってきた。融資平台が抱える債務は地方政府の「隠れ債務」と見なされている。国際通貨基金（ＩＭＦ）の試算によると、２０２３年の融資平台の債務は約66兆元（約１３６６兆円）と、地方政府の約40兆元を大きく上回った。不動産不況が続く中、拡大を続けており、ＩＭＦは２０２７年には１００兆元を超えると予想している。

第5章

2024年の世界はどうなるか

日本が今すぐ取り組むべき課題

混迷の2023年を受けて、2024年はどうなるのか

2023年の総括と2024年の見通しを、図45にまとめてみた。

2023年は、マッドマンらによって世界情勢は混迷を極め、解決の道はまったく見えていない。とくにイスラエルとガザの問題は一歩間違えれば第三次世界大戦に発展する可能性があり深刻だが、私が提案した「信託統治」という手段によって、情勢がガラッと変わる可能性がある。

一方、日本経済の凋落は、人口約8000万人のドイツにGDPで抜かれるなど、非常に明確になった。岸田政権は自民党の政治資金問題で迷走し、大企業の不祥事も相次ぐなど、日本はもはや先進国と呼んでいいのか微妙な立ち位置にまで凋落した。さらにAI時代（第四の波）が本格的に到来したものの、今の人材教育では日本が浮上する可能性はまったく見えない。

では、2024年の見通しはどうか。

日本は第二次世界大戦後、アメリカに追随してほぼ80年が過ぎようとしているが、「このままアメリカについていっていいのか？」という根本的な問題がある。これからの時代、他

図45　2023年の総括と2024年の見通し

2023年の総括

マッドマンによって世界情勢は混迷を極めた

- 2つの軍事衝突によって、世界大戦のリスクが高まった
- Gゼロ化により国際秩序は混乱
- 対立・迷走する先進国、発言力を高めるグローバルサウス

日本経済の凋落が明確になった

- 岸田政権は政治資金問題で迷走
- 日本はもはやG7/先進国と呼んでいいのか微妙な立ち位置にまで凋落した
- AI時代（第四の波）が到来、日本経済にさらに追い打ちをかける

2024年の見通し（リスク）

今後世界情勢はどうなるか?

- 今後もマッドマンが世界を振り回す可能性が高い（第三次世界大戦のリスク）
- アメリカ大統領選挙でトランプ氏が表舞台に出てくる可能性が高く、世界の右傾化リスクが高まる

今後日本はどうなるか?

- 日本経済の凋落は人口減少問題やAI時代の教育問題が原因であるが、迷走する自民党政権のままでは今後も経済成長が期待できない
- 経済停滞・円安・インフレによるスタグフレーションに陥るリスクがある

日本はどうするべきか?

自民党の解党的な出直しが必要

- 2012年12月に自民党が政権与党に返り咲いてから、10年以上にわたり自民党一強状態が続いてきたが、ここにきて問題が噴出している
- 党内の自浄作用が失われた自民党は、もはや解党的な出直しが必要（他の政党も同じ根本的課題）

- そのうえで、教育、地方自治、対米関係見直し＋真の仲間づくり外交、といった大きな課題に取り組むべき
- 進められる具体的なテーマとしては、「ロシアとのつきあい方を考える」「真の観光立国を目指す」ことが挙げられる

（出所）BBT大学総合研究所

の仲間をもっとつくっていく必要があるだろう。これまで「日米安保条約があるから、日本の防衛は大丈夫だ」と、アメリカの核の傘の下で日本の安全が保障されると考えてきたが、実際のところ、核の傘は一度も有効ではなかった。

また、私がマッキンゼーでキャリアをスタートしたサンフランシスコは、今では「オピオイド」という合成麻薬によって、治安がすっかり悪くなってしまった。かつて私が常宿にしていたユニオンスクエアのヒルトンホテルはサンフランシスコの中心部だが、中毒患者に取り囲まれており、客がほとんど表に出られない状況となり閉鎖に追い込まれた。かつて中国はアヘンによって国を失ったが、アメリカの一部もそうなりつつある。

ただし、アメリカと袂《たもと》を分かつにしても、急に「さようなら」と言うと、あの国は暴力的になるので、静かにそっと距離を置き始めるべきだろう。

残念ながら現在の日本は、100％アメリカの支配下にある。本当の独立は今日に至るまで達成していない。だから、民主党政権時代に当時の鳩山由紀夫首相が「日米中正三角形論」を唱えたとき、すぐにアメリカとの関係が悪化した。安倍晋三首相も当初は「戦後政治の見直し」と言っていたが、それだとアメリカ軍駐留も含めて見直さなければならず、アメリカ側は非常に硬化して「安倍は危険人物」とされて、相手にされない時期が続いた。それで安倍首相は豹変《ひょうへん》し、「日本に民主主義を教えてくれたのはアメリカでした」とアメリカ議会でスピーチしたのである。そこまでしないとアメリカ側は納得しないのだ。

そして、アメリカの〝日本派〟と呼ばれている連中が金儲けしているわけだが、たとえばジョゼフ・ナイ氏やリチャード・アーミテージ氏などは日本がアメリカから離れようとすると、ロビー活動の仕事がなくなるので騒ぎ出すのである。そういうものを超えていく人間がいるかというと、日本にはいない。外務省はいわゆるアメリカ派と中国派に分かれているが、アメリカ派の人たちは最後にアメリカ大使になるのが夢なので、外務省はアメリカべったりなのである。

もし日本が本気でアメリカ離れをしようと思ったら、直接には言わず、他国との距離を見直すべきだ。鳩山氏のように口だけで言っては駄目である。やはり日本は真の独立国家ではない。今までは「アメリカべったり」がプラスだったのだが、すでに述べたようにインドネシアをはじめとする東南アジア諸国との関係も変わりつつある。そういうところを見直すべきだ。

また、計画的に移民を入れて、日本の中でコストを負担して教育していくことも求められる。前述のようにカナダやオーストラリアは積極的に移民・難民を受け入れる政策を打ち出しているし、ドイツでも受け入れた人に2年間、税金でドイツ語教育を受けさせている。日本の場合にはこれが何もない。「建築業で人手が足りないから、難民を入れましょう」などと言うだけで、基礎的な準備を何もしていないのである。これを是正しなければならない。

自民党は政治資金問題で解党的出直しを迫られているが、公明党や日本維新の会なども存亡の危機に面している。事実、日本維新の会は一時の勢いがなくなり、大阪万博と一緒に自爆する可能性が高い。吉村洋文知事の金銭的なスキャンダル報道もされている。公明党も2023年11月に長きにわたって君臨した池田大作氏が亡くなって、求心力に疑問符がつき始めている。

むしろ自民党の解党的出直しを経て、「教育」「地方自治」「対米関係の見直し」プラス「真の仲間づくり外交」といった大きな課題に取り組むべきだ。特に2024年において重要なのは、アジェンダを1つか2つに絞り、年内に答えが出ることを行うことである。それによって、その次の年はまた1つか2つ実施していけば、進捗状況が図れるだろう。

具体的なテーマとしては、「ロシアとのつきあい方を考える」「真の観光立国を目指す」ことが挙げられる。その詳しい内容については本章の最後に述べることにしよう。

選挙イヤーの2024年、世界情勢に影響を与える可能性も

2024年は世界各国・地域で大規模な選挙が相次いで行われる（図46上）。すでに終了したのが1月の台湾総統選挙、2月のインドネシア大統領選挙、3月のロシア大統領選挙、4月の韓国総選挙である。4月〜5月はインドで総選挙、5月は南アフリカで総選挙、6月はメキシコで大統領選挙、6月〜7月はEUで議会選挙、そして、11月にはアメリカで大統領選挙が行われる。さらに状況次第で、イギリスや日本で総選挙が行われる可能性もある。

日本にとって、特に関係が深いのは台湾総統選挙とアメリカ大統領選挙である（図46下）。

1．台湾総統選挙

1月13日に行われた台湾の総統選挙の結果をふりかえってみよう。

3政党によって争われた総統選挙戦を制したのは、中国共産党に対して「強硬路線」をとる民進党（民主進歩党）の頼清徳《らいせいとく》副総統だ。敗れた国民党（中国国民党）の侯友宜《こうゆうぎ》氏と民衆党（台湾民衆党）の柯文哲《かぶんてつ》氏は、中国共産党との「対話路線」を掲げていた。

このように中国共産党に対する姿勢が選挙戦の争点となったが、今回反中の頼清徳氏が勝利した結果を受けて、「台湾有事が近づいた」と考えるのは早計だ。頼清徳氏は勝利こそしたものの、選挙結果の詳細を見れば、対中強硬路線を支持した台湾人は実は少数派であったことがわかる。頼清徳氏の得票率が約40・1%であるのに対し、中国との対話路線を主張していた国民党の侯友宜氏は約33・5%、民衆党の柯文哲氏は約26・5%。つまり、台湾人の約6割は、中国との対話路線を支持しているのだ。

歴史を遡れば、1949年、蔣介石《しょうかいせき》率いる国民党は、毛沢東《もうたくとう》率いる中国共産党との内戦に敗れ、台湾に逃れてきた。以来、台湾では長らく国民党による一党独裁支配が続いたが、1988年に総統に就任した「本省人《ほんしょうじん》」の李登輝《りとうき》氏は民主化を推進した。1989年には政党の結成が自由化され、民進党が台頭してきた。

台湾では、日本による統治が終了した1945年10月25日以前から住んでいた人々を本省人と呼ぶ。一方、それ以降に大陸から渡ってきた人々は「外省人《がいしょうじん》」と呼ばれ、両者は長らく対立してきた。外省人にとって台湾は中国本土を奪還するまでの一時的な仮住まいという位置づけであり、国民党はいまだに外省人の政党という印象が強い。一方、民進党は昔から台湾にいる本省人が中心となって結成した政党だ。1986年に国民党政権下で非公式に結党して以来、一貫して「台湾独立」を綱領に掲げている。

図46　2024年は主要国で選挙が目白押しであり、今後の世界情勢に影響を与える可能性が高く、注目が集まる

2024年に実施される主な選挙

日程	内容	日程	内容
1月	台湾総統選挙	6月	メキシコ大統領選挙
2月	インドネシア大統領選挙	6～7月	EU議会選挙
3月	ロシア大統領選挙	11月	アメリカ大統領選挙
4月	韓国総選挙	年内～25年1月	イギリス総選挙
4～5月	インド総選挙	年内?	日本/衆議院解散・総選挙
5月	南アフリカ総選挙		

注目があつまる台湾総統選挙、アメリカ大統領選挙

（出所）NHKほか各種報道・資料よりBBT大学総合研究所が作成

台湾の民主化以来、国民党と民進党は2大政党として、しのぎを削ってきた。李登輝総統の後、2000年から2008年にかけて初の民進党政権である陳水扁《ちんすいへん》総統が誕生したが、2008年から2016年は国民党の馬英九《ばえいきゅう》総統が、2016年から2024年は再び民進党の蔡英文《さいえいぶん》総統が総統の座に着いた。

国民党は中国共産党との対話を重視する政策で台湾経済を潤す一方で、民進党は強硬な姿勢を示して独立を標榜する。政党のカラーが白黒はっきりしているため、選挙では自分が支持する政党の候補者を二択から選べばよかった。

しかし、今回の総統選はこれまでとは勝手が違い、第3政党である民衆党がダークホースに躍り出た。

民衆党は、柯文哲前台北市長によって2019年に結成された。若者を中心に、国民党と民進党の二択しかないことに不満を抱える台湾人から広く支持を集め、2大政党を脅かす存在に成長した。柯文哲氏が台北市長時代に「両岸（台湾と中国）は一つの家族」と発言しているように、民衆党は中国との対話路線である。一時は、国民党と合流して総統候補を一本化する話が浮上していたが実現せず、総統選は三つ巴の戦いのまま結末を迎えた。総統選で国民党と民衆党が合流して候補者を一本化できなかったのは、台湾の人々の出自が影響している。

今回、外省人が「自分は外省人」という意識を持っていれば、国民党は昔と変わらず支持されただろう。しかし、外省人の2世、3世は台湾生まれで、「自分は台湾人」という意識が強い。したがって、若い世代は、いまだに外省人色が強い国民党を支持したがらない。かといって、台湾有事に巻き込まれるのは嫌なので、強硬路線の民進党も支持したくない。そんな若者たちが民衆党の柯文哲氏に投票したのだ。

では、なぜ多くの台湾人は中国共産党との対話を望むのか。その根底にあるのは、2つの心理だ。

まず一つは、「中国と戦いたくない」というシンプルな思いである。1988年から2000年まで総統を務めた李登輝氏の功績の一つに、「国防役制度」の導入がある。これは理工学系の大学院生を対象に、徴兵して軍事訓練を受けさせる代わりに、軍や政府の研究機関などに技術職として勤務させる制度である。事実上の兵役免除であり、台湾の多くの学生は文系ではなく理系を目指した。

なかでも優秀な理工学系の学生は英語力を磨いてアメリカに留学した。彼らがアメリカの一流大学で学び得たものが、現在の台湾でエンジニアリングが開花していることにつながっている。このような流れができたのも、厳しい軍事訓練は受けたくない、いざというときに前線で戦いたくないと考える若者が多かったからにほかならない。

台湾では18歳以上の男子に徴兵の義務が課せられているが、実は民進党政権下の2018年、4カ月の訓練義務を残して徴兵制は一度終了している。しかし、台湾有事の高まりを受けて、2022年に蔡英文総統が1年間の徴兵制を復活させた。

民進党は前回2020年の総統選では約57％もの支持を得ていた。今回、民進党の支持率が約17ポイントも下落したのは、徴兵制の復活が得票率の低下につながったと見てよい。とくに戦争になったとき実際に血を流すリスクが高い若者ほど、対話路線を支持するのだ。

対話を望むもう一つの理由は、経済である。2008年から2016年まで総統を務めた国民党の馬英九氏は、中国との間にいわゆる「大三通」政策を打ち出した。すなわち「通商」「通航」「通郵（通信）」という3つの交流を強化することによって、大量の中国人が台湾を訪れて、観光業を中心に経済が大いに潤ったのだ。

逆に台湾からは多くの企業が中国に進出して現地に投資をした。それまで台湾から中国に行く際の空路は香港経由に限られていたが、台湾と多くの中国都市の間に直行便が就航した。香港の隣にある深圳《しんせん》は香港系企業のテリトリーだったため、台湾企業は深圳の北側にある東莞《とうかん》を中心に進出した。当時は台湾企業が地元に落とすお金を目当てに、多くの中国人が東莞市に集まった。馬英九総統の後は民進党の蔡英文政権に代わったため、現在の東莞には往時の熱気が残っていない。しかし、台湾企業は外省人を中心に飲料・食品、鉄鋼、セメント、繊維などの領域で今も中国大陸に深く浸透している。

なかでもインパクトがあったのが半導体だ。半導体は安全保障上も重要な産業だが、馬英九氏は大胆に規制を緩和し、TSMCの江蘇省の工場建設を可能にした。その様子を見て、アメリカの台湾系起業家も大陸を目指すようになった。台中関係の改善で、関わったみんなの懐が温まったのだ。

しかし、台湾に富をもたらした「大三通」も長くは続かなかった。2014年に香港で起きた反政府デモ「雨傘運動」が中国共産党に鎮圧される様子を見て、台湾の人たちは「明日はわが身」と思うようになった。その結果、強硬路線の民進党に支持が集まり、アメリカ寄りで、中国共産党嫌いの蔡英文政権が2016年から2期8年続いた。民進党は台中対立に露骨にアメリカを引き込んだため、中国もますます強硬になっている。高まる緊張感に不安を覚える台湾人が多かったことも、今回の総統選における民進党の支持率低下に影響している。

私は30年ほど前に、李登輝総統（当時）に新しい戸籍制度の提案をした。当時の台湾では、大陸に戸籍を持っている外省人は、本省人に対して優越感を抱いていた。外省人は数では劣るものの、本省人よりあらゆる面で優遇されており、両者の溝が深まっていた。

そこで、現行の戸籍制度を撤廃して、「台湾で生まれた人は全員、台湾籍」にする。そうすれば外省人と本省人の区別がなくなり、いずれみんなが一様に台湾人となる。しかし、李登輝氏は「戸籍問題は時間が解決する。今は（外省人を刺激して）国内に混乱を引き起こすべきではない」と私の提案を拒んだ。李登輝といえども、日本での国会に相当する「立法院」で、権力を握る外省人を敵に回す勇気はなかったようだ。

そのツケが回ってきたのが、今回の総統選である。蔣介石が台湾に移ってからすでに75年が経過している。30年前に戸籍制度を刷新していれば、台湾人のほぼ全員が台湾籍になっていたはずだ。そうなっていれば民衆党の存在意義はなく、野党が国民党に一本化され、民意のとおりに対話路線を掲げる候補が総統に選ばれていただろう。

残念ながら現実にはそうならず、今回の総裁選では強硬路線の頼清徳総統が、ある意味で民意に逆行して誕生した。しかし、約6割の台湾人は対話路線を望み、立法院の議席数でも野党が多数で、議長は国民党の親中派である韓国瑜《かんこくゆ》氏だ。

日本も、台湾有事の発生を望んでいない。台湾人が「大三通」のような過去の栄光を思い出し、中国と話し合いをして歩み寄ることはできるはずだ。中国共産党も、自国経済の大部分は200万人を超える台湾人が中国で活躍している成果であることを認識し、いたずらに対立を煽《あお》るべきではない。2024年5月20日に発足する頼清徳新政権には、選挙結果を謙虚に分析し、台湾人の民意を汲み取った対話路線の政治運営を期待したい。

2.アメリカ大統領選挙

11月に行われるアメリカ大統領選挙については、現時点（3月末）でまったく予測不能だ。現役のジョー・バイデン大統領は高齢でもう何を言っているのかわからない。バイデン氏が恐れているのは、トランプ氏ではなく、身内の民主党の中から対立候補が出ることだと言われている。私もそう思う。特に彼の場合、息子であるハンター・バイデン氏の問題も抱えている。この問題で弾劾される予定だったのだが、放っておいたら今度は脱税で訴えられた。しかも数億円の脱税だ。息子を甘やかしすぎたのである。そうした事情もあり、おそらくバイデン氏が民主党の候補者になっても、インパクトに欠けるだろう。特に、年齢から見て途中交代となったとき、カマラ・ハリス副大統領ではまったく支持が得られない。今さら交代させるわけにはいかないが、もっと早くミシェル・オバマ氏（バラク・オバマ元大統領夫人）に代えていれば、という声は強い。

一方、共和党のほうはドナルド・トランプ前大統領が予備選や党員集会が集中する3月のスーパーチューズデーまでにライバルたちを圧倒し、共和党候補者としての地位をほぼ手中にした。確かにダントツで人気だが、彼は4つの訴訟を抱えている。これが全部有罪になると200年刑務所にいることになる。自分の胸に聞いてみてほしい。そのような人物を大統領に選ぶようなアメリカにべったりの日本をどう思うか。トランプ氏が再び仕切ることになるかもしれないアメリカにくっついていくことは本当にまともなのか。日本人は今一度、考え直す必要がある。

では、トランプ氏が大統領選挙本選に出ることをどう捉えればいいか。1つは、トランプ氏はいくつもの訴訟を抱えていて、アメリカの司法制度がどこまで機能するかが焦点である。また、トランプ氏の言っていることの中に真実はほとんどないことがわかっているため、そのような人間を4割近くの人が支持しているアメリカという国そのものについても、日本人は考える必要がある。そういう現状に気づいて、トランプ氏をあっという間に蹴落とすような人物が現れてきたのが、これまでのアメリカのパターンでもある。様子を見ながら急激に〝トランプ叩き〟が出てくることを私は期待している。

トランプ氏はまさに「自国ファースト」の人間だ。「メイク・アメリカ・グレート・アゲイン（MAGA）」と声高に叫ぶような人物が世界のリーダーとして君臨することを踏まえ、日本としては独自の国際関係を築いていく必要がある。またアメリカの内部に関しても、フェンタニルやオピオイド、エンタニールの中毒者が増えている現状がある。そのような国とどうつきあっていくかを考えていかなければならない。日本にとっては、グローバルサウス、EU、ロシアなど、アメリカのウエイトを下げてでもつきあうべき国が、他にいくらでもあるのだ。

ちなみにトランプ氏は、現代のグローバル経済におけるサプライチェーンの「サ」の字も理解していない。だから中国に対して「関税１００％」をかけるなど、無茶苦茶なことを言っている。そして、それを日本が黙ってみているのは卑怯だと思う。サプライチェーンを理解していれば、アメリカがここに関税をかけるということは、アメリカの消費者がそのつけを払うということだとわかる。たとえば、スマートフォンが最初にできたときは、日本の部品が7割以上あった。しかし、今、日本の部品の割合は10％もなく、65％は中国の部品だ。中国製の部品でかなり安くつくる方法が確立したのだ。それなのに、アメリカが関税をかけたためにスマホの値段は2倍になった。その関税はアメリカ政府が自分のポケットに入れている。しかし、アメリカでスマホをつくることはもうできない。トランプ氏が何をしても、中国製に集約されてきているのだ。

トランプ的なものは単なるレトリック（巧言）だけである。彼は経済の実態、なかんずくサプライチェーンの何たるかをまったく理解していない。東アジアのサプライチェーンは、韓国、日本、台湾、中国の間で精巧にできあがっている。私はその中で仕事をしてきたのでよくわかる。それを今さらアメリカに戻したいといっても無理な話だ。だからパフォーマンスでそう言うだけだが、効果はまったくない。やはりトランプ的な考え方は危険なのだ。そういう意味では、ウクライナのゼレンスキー氏もまったく同じで、レトリックだけでサブスタンス（実体）がまったくないのである。

日本は日ロ関係を再構築する必要がある

不思議に思われるかもしれないが、日本が2024年中にできることは、ロシアとの関係を正常化することだ。安倍元首相がプーチン大統領と26回会ってもうまくいかなかったが、日本は基本的にロシアと平和条約を結ぶべきだ。今このタイミングで話をもちかければ、ロシアは高い確率で乗ってくるだろう。

理由は2つある。1つは、現在のプーチン氏は極めて孤独な状況に追い込まれていること。もう1つは、プーチン氏以上に日本を理解しているロシアの指導者がいないからだ。前大統領のドミートリー・メドベージェフ氏は、日本に対して「ガタガタ言うなら核を使う」と言っているほどだ。一方、プーチン氏は講道館の柔道8段で、サンクトペテルブルクに行けば、すし屋の「さくら」と「将軍」に必ず行くほどの親日家だ。プーチン氏が大統領でいる間に平和条約を結ぶことである。

では、日ロ関係の最大の懸案事項である「北方領土」についてどうすべきか（図47上）。

第二次世界大戦の戦勝国である旧ソ連は、北海道の南北分割統治をアメリカに打診したが、ベルリン分割で懲りていたアメリカはこれを拒否し、その代わり南クリル諸島（国後《くなしり》、択捉《えとろふ》、歯舞《はばまい》、色丹《しこたん》）の割譲を提案した。日本の外務省は、そうした経緯を無視して「北方領土は旧ソ連が不法に占拠したものである」とウソの主張を繰り返してきた。ロシアはこれに反発し、「北方領土という表現をやめろ。ロシアの正式な領土であることを認めたうえでなければ返還交渉はできない」と言っている。

一方で、極東ロシアのハバロフスクを中心とした沿海州の経済開発は期待が持てるし、ロシアは道路などのインフラの老朽化がひどく、日本企業が貢献できる余地は大いにある。ロシアで人気の車はランサーとパジェロだが、どこへ行っても道路が荒れていて〝パリ・ダカール・ラリー状態〟だ。日本ができることは山のようにあるのだが、今はウクライナ侵攻による経済制裁を受けて、日ロ間の経済交流が進まず、北朝鮮から人を呼んで、シベリア開発をやっているほどだ。北方領土の返還は、経済的な協力関係をある程度築いた後に進めるべき話であり、性急に進めるべきではないだろう。北方4島には旧ソ連が送り込んだロシア人が大勢住んでおり、そのまま返還されてしまえば、日本はバルト三国やウクライナと同じ問題を火種として抱えることにもなる。

日本が北方領土の返還を平和裏に実現したいのであれば、この住民問題にきちんと道筋をつけるべきで、具体的には3つの選択肢を用意するべきだ（図47下）。

その選択肢とは、①「ロシア国籍のまま、日本人と同じように年金や医療を受けられる在留資格を取得する」、②「ロシア国籍をやめて日本国籍を取得する」、③「日本政府が費用を負担して、ロシアを含め好きなところに引っ越す」である。

この3つの選択肢を与えれば、プーチン氏が「日本は俺の悩みをわかっているじゃないか」と思うことは確実だ。事実、バルト三国ではロシア人が入植していたために、手に負えないような状況になっている。エストニアなどは20〜30％の残留ロシア人がいていじめられているのだ。今はエストニア人やラトビア人が威張っている状況である。バルト三国でいじめられているロシア人は、こうした苦労を経ているからこそ、その点を汲むことが重要である。

平和条約を結ぶことで、ロシアの軍事的脅威は減るだろうし、中国や北朝鮮に対する抑止力にもなるだろう。そしてアメリカとの関係を従来の追従的なものから変えていくきっかけにもなる。別にアメリカと仲悪くなる必要はない。しかし、アメリカべったりの結果、アメリカの敵まで自動的に日本の敵となるような愚は避けたい。

図47　ウクライナ侵攻中の今だからこそ、日本は冷静な日ロ関係を構築する必要がある

日ロ関係の懸案事項

日ロ関係の最大の懸案事項は「北方領土」

- 日ロ関係の最大の懸案事項は「北方領土」
- 戦勝国である旧ソ連は、北海道の分割統治をアメリカに打診
- アメリカはベルリン分割で懲りていたため、これを拒否。代わりに南クリル諸島（国後、択捉、歯舞、色丹）の割譲を提案

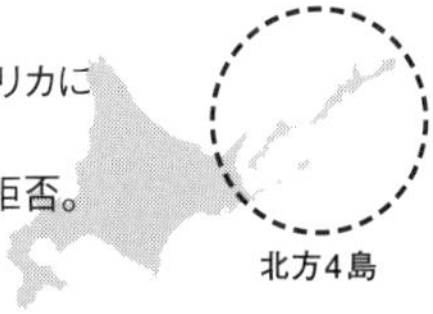

外務省のウソ

- 日本の外務省はそうした経緯を無視して、「**北方領土は旧ソ連が不法に占拠したものである**」とウソの主張を繰り返してきた
- ロシアはこれに反発、「北方領土という表現をやめろ。ロシアの正式な領土であることを認めたうえでなければ返還交渉はできない」

北方領土問題解決の3つの選択肢

日本はロシアと平和条約の締結を目指してはどうか

- 極東ロシアのハバロフスクを中心とした沿海州での経済開発は期待がもてる。ロシアは道路などインフラの老朽化がひどく、日本企業が貢献できる余地は大いにある

▼

- 北方領土の返還は、そうやって経済的協力を築いた後の話であり、性急に進めてはいけない。北方4島には旧ソ連が送り込んだロシア人が大勢住んでおり、そのまま返還されるとバルト三国やウクライナと同じ問題を火種として抱えることになる

▼

- 北方領土の返還を平和に実現したいのであれば、この問題に道筋をつけるべきで、具体的に3つの選択肢を用意する

1 ロシア国籍のまま日本人と同じように年金や医療を受けられる在留資格を取得する

2 ロシア国籍をやめて日本国籍を取得する

3 日本政府が費用を負担して、ロシアを含め好きなところに引っ越す

（出所）『大前研一 日本の論点2024-2025』（プレジデント社）、外務省、COOL SIBELIA

日本の失われた30年を救う「観光立国」へ注力せよ

もう1つ、日本として2024年にぜひとも取り組みたいのが、観光立国である。観光先として、日本は世界中から非常に人気がある。訪日観光客は2023年にコロナ前の水準を上回り、2030年には6000万人と推定されている（図48上）。「コロナが明けたらどこに行きたいですか？」というアンケート調査でも多くの国で日本が1位に選ばれている。

そこで、政府も言っているように、2030年までに訪日外国人客6000万人体制を実現するべきである。その経済規模は約50兆円だ。まさに日本の成長産業である。安全で、交通の便も良く、食も美味しいという日本の魅力で約50兆円、つまりGDPの10%が新たに加わるのなら、「観光立国省」などをつくり、専任の大臣を置くべきだ。すでに観光庁はあるが、こちらは力のないただの外局だ。そうではなく、世界中の外務省、いわゆる大使館も営業所に使えるほどの力のある省庁があれば、日本の観光産業の規模は50兆円以上になる。観光立国こそが、日本経済を「失われた30年」から救う処方せんとなる（図48下）。

日本は観光大国となる3つの条件「安全性」「交通の便」「宿と食」がすべて揃っている。

図48　観光立国こそが、日本経済を「失われた30年」から救う処方せんとなる

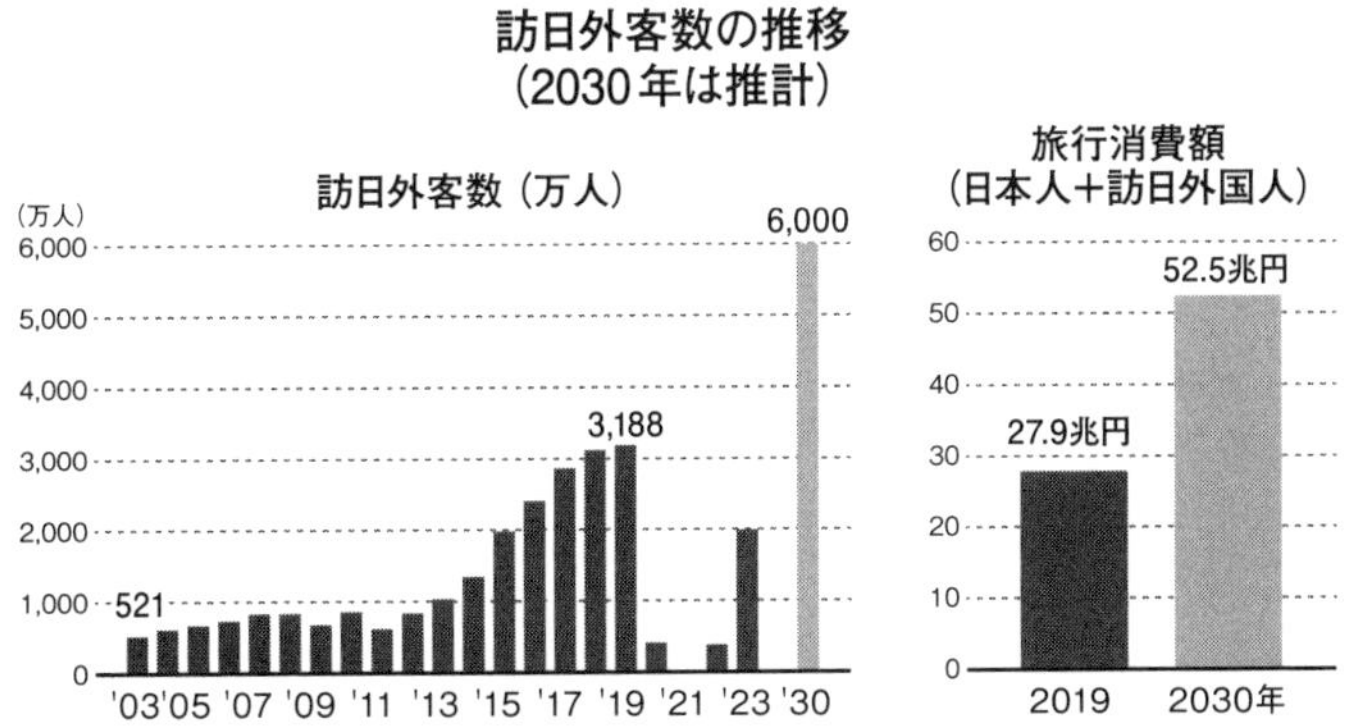

日本が目指すべき「真の観光立国」

観光立国こそが、日本経済を失われた30年から救う処方せんとなる

観光大国になるための3つの条件

◯**安全性**　：日本の安全性は世界屈指のレベル
◯**交通の便**：公共交通機関が発達していない地方は、観光用の足が圧倒的に不足
◯**宿と食**　：日本が最も弱いのが宿泊施設に関するもの。また人手不足も深刻

●世界トップレベルになるためには観光リソースを活かす「構想力」が必要
●司令塔となる「観光立国省」を設立する

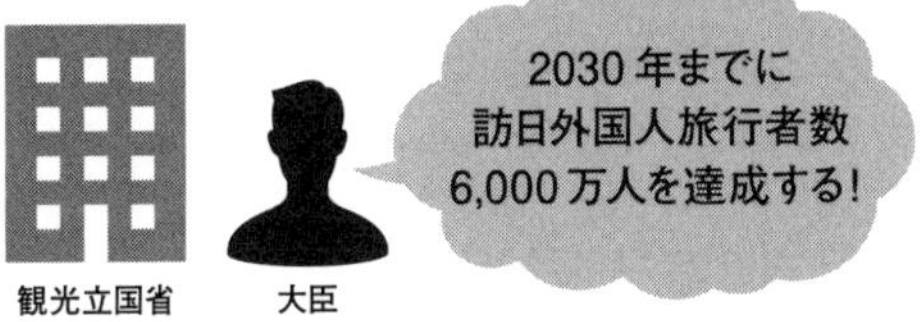

観光立国省　大臣

（出所）上／JINTO、観光庁、下／『大前研一 日本の論点2024-2025』（プレジデント社）

その一方で、たとえば中国人に対しては、ビールが冷たいとお腹を壊すこともあるので、常温にするなどの工夫が必要だ。もちろん日本に慣れている中国人なら問題ない。温泉に入るときも同様で、人前で裸になるのは嫌だという中国人もいる。それも慣れが必要だ。そうして慣れてくると、いわゆるゴールデン・ルートだけではなく、金沢に行ってみたり、シーズンによっては桜前線を追いかけてみたり、紅葉を見に行く人もいる。だから私は、やり方によっては訪日外国人6000万人達成は十分可能だと考えている。

イタリアには「アルベルゴ・ディフーゾ」という分散型のホテルがあり、ほとんど放棄されたような村を再生するのに観光客にこれを提供している。「ここがフロントです」「そこから200メートル以内のあの家が、あなたの宿泊場所です」などと分散型にする。それがうまくいっているので、日本でもイタリアの研究をし始めている。これが整備されれば、日本の田舎も再評価されるだろう。空き家対策にもなる。

とくにイタリアの場合、1週間単位で泊まる。そうして観光客が来ているのを見ると、都会で熾烈な競争をしていた料理人も戻ってきて店をはじめる。フランス同様に、「美しい村運動」のような、廃村に近いようなところを再興するやり方をしているのだ。これを日本でも実現すれば、6000万人体制になりGDPの10%も夢ではない。

こうした観光立国の施策で経済成長に弾みをつけつつ、預貯金の2000兆円に金利をつけて数十兆円の金を生み、お金を持っている人たちに大いに日本をエンジョイしてもらうと良いだろう。外国人だけでなく、日本の人たちにも自国をエンジョイしてもらう。私が首相だったら「毎日エンジョイしてなんぼや」と言うだろう。

２０２３年はあまり明るい話題がなかったが、この２つはぜひ２０２４年中に実行してもらいたい。

これら２つの施策はあまり画期的なものではないかもしれない。しかし、取り組んで１年間で結果が出るものにという発想なら、かなり具体的なものである。ウィッシュリスト（望ましい一覧表）ばかり出している岸田首相には、この２つでまず結果を出して自信をつけていただき、本書で指摘したより深刻な日本の問題に次々と取り組んでもらいたい、という希望も込めて、最後に提示した。

頼清徳（1959～）

台湾北部の現・新北市に炭鉱労働者の息子として生まれる。苦学して国立台湾大学医学部を卒業し、アメリカのハーバード大学で公共衛生の修士号を取得する。台南市の大学病院で内科医として勤務していた頃、当時の国民党政権の腐敗に怒りを覚え、36歳で政界入り。立法委員や台南市長、行政院長（首相）、副総統を歴任。２０２４年１月の総統選で勝利し、5月に就任予定。


柯文哲（1959～）

台湾中部の新竹市生まれ。国立台湾大学医学部卒業後、外科医として台湾大学医学院教授などを歴任。専門は外科医学、緊急救命、臓器移植、体外式膜型人工肺、人工臓器などで、ＥＣＭＯを台湾に初導入した第一人者として、集中治療の発展に貢献。２０１４年12月、台北市長に就任。２０１９年に台湾民衆党を結成し、党首に就任。

TSMC

Taiwan Semiconductor Manufacturing Company Ltd. の略称。台湾の新竹サイエンスパーク内に本拠を置く世界最大の半導体ファウンドリー（製造受託会社）。1987年創業。単なる下請けではなく、最先端の製造技術を持ち、半導体メーカーが設計した最先端のデバイスを製造できる世界ナンバーワン企業。インテルなどの世界の名だたるデバイスメーカーが製造を委託している。日本にも進出し、2024年2月に工場が稼働。

スーパーチューズデー

4年に一度行われるアメリカ大統領選挙で、民主・共和両党の候補者指名のため州ごとに実施する予備選挙・党員集会が集中して行われる2月または3月の上旬の火曜日のこと。最終候補者の選定に大きな影響を与えるため、「スーパーチューズデー（決戦の火曜日）」と呼ばれている。

ゴールデン・ルート

インバウンド客（外国人訪日旅行者）に人気の高い定番の周遊ルート。特に東京～箱根～富士山～京都～大阪をめぐるルートを指すことが多い。近年は特定の観光地に旅行者が集中することから発生するオーバーツーリズム（観光公害）を防止する目的で、ルートの分散化が課題となっている。

アルベルゴ・ディフーゾ

イタリアで行われている少子高齢化による過疎対策、特に「空き家問題」を観光産業で解決するための取り組みを指す。街中や集落の古民家（空き家）を客室に見立て、一帯で宿泊経営を行う分散型宿泊施設の考え方。イタリア語で、アルベルゴは「宿泊施設」、ディフーゾは「分散」の意味を持つ。空き家を宿泊施設として再生し、少子高齢化による空き家問題の解決や、宿泊者が回遊することによる活性化や、交流の創出が期待されている。

大前研一

おおまえ・けんいち

早稲田大学卒業後、東京工業大学で修士号を、マサチューセッツ工科大学（MIT）で博士号を取得。日立製作所、マッキンゼー・アンド・カンパニーを経て、現在、ビジネス・ブレークスルー大学学長。

著書に『第4の波――大前流「21世紀型経済理論」』『経済参謀――日本人の給料を上げる最後の処方箋』（共に小学館）、『企業参謀――戦略的思考とはなにか』『世界の潮流』シリーズ、『日本の論点』シリーズ（ともに小社刊）など多数ある。

「ボーダレス経済学と地域国家論」提唱者。マッキンゼー時代には、ウォールストリートジャーナル紙のコントリビューティングエディターとして、またハーバードビジネスレビュー誌では経済のボーダレス化に伴う企業の国際化の問題、都市の発展を中心として広がっていく新しい地域国家の概念などについて継続的に論文を発表していた。この功績により、1987年にイタリア大統領よりピオマンズ賞を、1995年にはアメリカのノートルダム大学で名誉法学博士号を授与された。英国エコノミスト誌は、現代世界の思想的リーダーとしてアメリカにはピーター・ドラッカー（故人）やトム・ピーターズが、アジアには大前研一がいるが、ヨーロッパ大陸にはそれに匹敵するグールー（思想的指導者）がいないと、書いた。同誌の1993年グールー特集では世界のグールー17人の1人に、また1994年特集では5人の中の1人として選ばれている。2005年の「Thinker 50」でも、アジア人として唯一、トップに名を連ねている。2005年、『The Next Global Stage』がWharton School Publishingから出版される。発売当初から評判を呼び、すでに13カ国語以上の国で翻訳され、ベストセラーとなっている。経営コンサルタントとしても各国で活躍しながら、日本の疲弊した政治システムの改革と真の生活者主権国家実現のために、新しい提案・コンセプトを提供し続けている。経営や経済に関する多くの著書が世界各地で読まれている。

趣味は、スキューバダイビング、ジェットスキー、オフロードバイク、スノーモービル、クラリネット。ジャネット夫人との間に二男。

世界の潮流2024－25

2024年5月22日　第１刷発行

著者　大前研一
発行者　鈴木勝彦
発行所　株式会社プレジデント社
〒102-8641東京都千代田区平河町2-16-1
平河町森タワー13階
https://www.president.co.jp/　https://presidentstore.jp/
電話　編集 (03) 3237-3732
販売 (03) 3237-3731

編集協力　木村博之
構成　山中勇樹
編集　渡邉 崇　田所陽一
販売　桂木栄一　高橋 徹　川井田美景　森田 巌　末吉秀樹
庄司俊昭　大井重儀
装丁　秦 浩司
撮影　的野弘路
本文写真　Wikimedia Commons
制作　関 結香
印刷・製本　TOPPAN株式会社

ISBN978-4-8334-2536-0
Printed in Japan